LÜBECK

KURZER FÜHRER

VON

KARL BAEDEKER

5. AUFLAGE
MIT 1 STADTPLAN, 4 GRUNDRISSEN
UND 14 ZEICHNUNGEN

KARL BAEDEKER · FREIBURG
1983

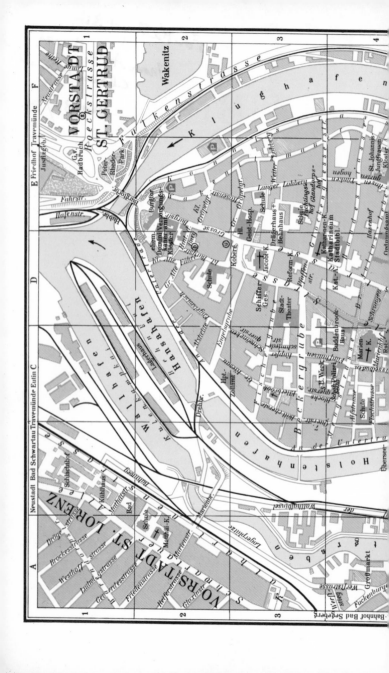

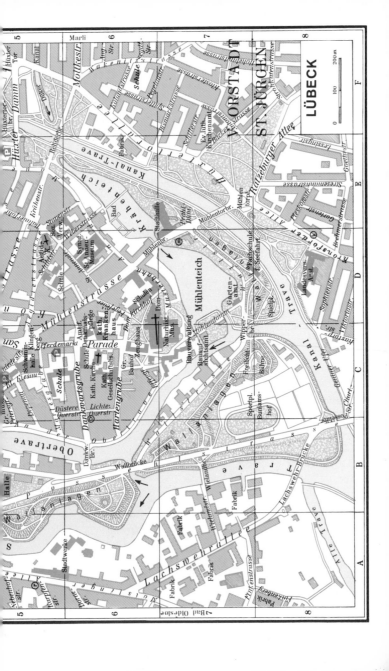

LÜBECK

VORSTADT
ST. JÜRGEN

0   100   200 m

Marli

Huxter-Tor
Huxter-Damm

Mollestr.

Kanal-Trave

Krähenteich

Stadthalle

Mühlentor.

Mühlentorbr.

Mühlenteich

Trave

Ratzeburger Allee

Krusenkoppel

Gemein.

Mühlenbr.

Fachschule

F.Seefahrt

Landesvers.
Anst.

Garten-
amt

Mühlendamm

Wipper

Bauverwaltung

Bauamt
Rechtsamt

Dom

Naturhist. Mus.

Dom-Kirchhof

Zeughaus

Museum

St. Annen-
Museum

Kath.
Krankenhaus

Kath. Kirche

Kath.
Gesellschaftshs.

Amtsger.
Schule

Gr.
Bauhof

Schule

Parade

Pferdemarkt

Schwimm-
halle

Kiesau

Mühlenstrasse

Düstere
Querstr.

Lichte
Querstr.

Oberlrave

Dankw.
Br.

Wallbrücke

Wallanlagen

Wallstrasse

Sportpl.

Burkamp-
hof

Posse

Stadtwerke

Halle

Lachswehrallee

Lachswehr

Lachswehr-Brücke

Trave

Fabrik

Fabrik

Fabrik

Fabrik

Fabrik

Fabrikstrasse

→ Bad Oldesloe

VORWORT

Baedekers *Kurze Stadtführer* beschreiben das Sehenswerte und nennen das Wissenswerte an einer Stadt in einer Art und Weise, die auch dem Eiligen deren Wesen rasch erschließt. Der Besucher, der Leser werden durch alle Teile des Stadtgebietes geleitet, das ihm zum Schluß als ein Ganzes vor Augen steht. Der knapp gehaltene Text ist durch Stadtpläne, Grundrisse, Zeichnungen belebt und durch 'Praktische Angaben' eingeleitet.

Karl Baedeker (1801–59), der Urahn des Herausgebers, hat Lübeck schon 1842 in seinem 'Reisehandbuch für Deutschland' beschrieben, und seitdem sind die roten Bände der Entwicklung der Stadt mit immer wieder erneuerten Beschreibungen gefolgt; ein besonderes Bändchen 'Lübeck' legte der Verlag zum ersten Male 1963 vor.

Für die Neubearbeitung des Textes danken wir Herrn Dipl.-Ing. *Otto Brandt* (Hamburg), dem Verkehrsverein, den Pfarrämtern und den Museumsdirektoren in Lübeck. Die Skizzen zeichnete *Gerhard Gronwald* (†1965). Die Pläne und Grundrisse bearbeitete die Kartographische Anstalt *Georg Schiffner* in Lahr.

STERNCHEN (*) als Mittel zur Hervorhebung bedeutender Bau- und Kunstwerke, Naturschönheiten, Aussichten oder auch besonders guter Hotels und Restaurants hat Karl Baedeker 1844 eingeführt; sie werden auch hier verwendet.

Irrtümer und Fehler lassen sich nicht völlig vermeiden, Wünsche nicht alle erfüllen, auch ist die Gestalt einer Stadt raschem Wandel unterworfen. Deshalb sind wir für Berichtigungen und Verbesserungsvorschläge stets dankbar.

Freiburg im Breisgau   *Karl Baedeker*

1. Auflage 1963   4. Auflage 1977
2. Auflage 1966   5. Auflage 1983
3. Auflage 1971

KARL BAEDEKER FREIBURG/BR. 1983
Printed bei Rombach + Co. GmbH, Freiburg/Br.
Satzherstellung: Fotosatz W. Schiffner, Lahr
ISBN 3-87954-019-5

LÜBECK

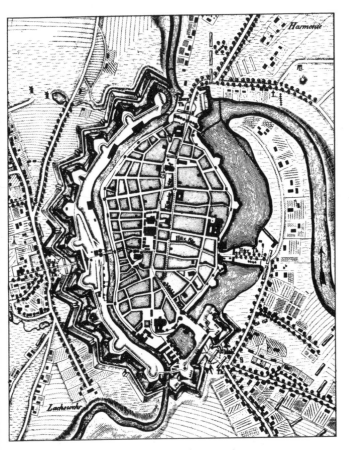

Lübeck im Jahre 1806

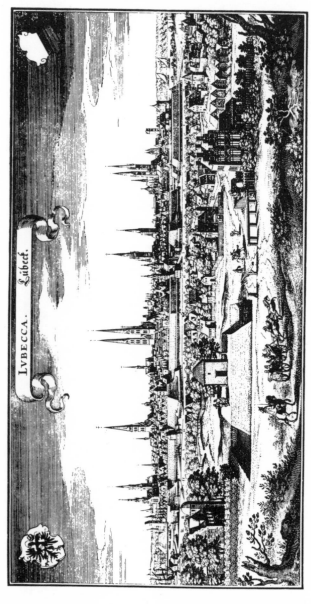

LVBECCA. Lübeck.

Lübeck. WOber diese in Wagrien gelegene / vornehme / unnd mit Vestzeyen / unnd Gräben / nach jetziger newen Zeit zu bawen / wol verfehene Reichs-Statt / unnd Haupt deß Hanseatischen Bundes den Namen habe / seind die Scribenten nicht einerley Meinung; in dem Theils denselben von einem Sildner / Luba genandt / so vorhin an dem Ortzt / wo hernach die Statt erbawen worden / gewohnt, andere / von Lubemaro, einem Rügischen oder Wendischen Fürsten / der sie solle haben erweitern helffen; herführen; Theils aber / daß diese Nam so viel als Lobes heissen solle / wollen; weln diese Statt so vortrefflich / sauber / groß / reich / vest / volckreich / mächtig / unnd weit berühmt ist; unnd vermeinen daher theils; daß Lübeck ein Wendisch Wort seye / unnd so viel bedeute als bey uns Teutschen das Wörtlein Cron darumb daß diese Statt für eine Zierde / unnd Cron des Teutschen Reichs halten

INHALT

Praktische Angaben 8
Auskunft – Verkehr – Hotels – Gaststätten – Unterhaltung –
Besuchsordnung – Bücher und Karten

Allgemeines und Geschichte 12
Lage – Wirtschaft – Geistiges Leben – Geschichte

Stadtbild 17
Stadtanlage – Kirchen und Klöster – Bürgerhaus – Stadtbefestigung – Häfen.

Die Altstadt 21
Holstentor – Rathaus – Marienkirche – St. Jakobi – Heiligengeist-Hospital – Burgtor – Behn-Drägerhaus – Katharinenkirche – St.-Aegidien – St. Annen-Museum – Dom – Naturhist. Museum

Vorstädte und Vororte 41
St. Lorenz-Vorstadt – St. Jürgen-Vorstadt – Krummesse – St.
Gertrud-Vorstadt – Schlutup – Israelsdorf – Gothmund –
Marli – Bad Schwartau – Travemünde

Travemünde 44

Ausflüge 49
Mit dem Auto – Mit dem Motorboot – zur See

KARTEN UND PLÄNE

Lübeck 1806 1
Historische Ansicht 2
Stadtplan 1 : 12500 . . . . 4/5
Marienkirche 25
Heiligen-Geist-Hospital 29
St. Annen-Museum 36
Dom 39

Praktische Angaben

Auskunft. *Amt für Stadtwerbung und Fremdenverkehr* und *Lübecker Verkehrsverein*, Touristbüros mit Zimmervermittlung: Beckergrube 95 (Mo.−Fr. 8−16, Sa. 10−13, So. 10−12 Uhr), Tel. 1 22 81-09; − Am Markt (Mo.−Fr. 10−18, Sa. 10−13 Uhr), Tel. 1 22 81-06; − Im Hauptbahnhof (Mo.−Sa. 9−13, 15−20 Uhr), Tel. 1 22 81-07. Monatlich 'Lübeck aktuell' mit Veranstaltungsprogramm. Post: Hauptpost (C 4), Markt 1; Nebenpostämter, u.a. am Hauptbahnhof. − Postleitzahl 2400; Vorwahlnummer 04 51.

Verkehr. BUNDESBAHN: Hauptbahnhof (jens. A 4) für alle Richtungen (Hamburg, Kiel, Puttgarden, Travemünde, Lüneburg und Rostock).

OMNIBUSSE: *Zentraler Omnibusbahnhof (ZOB)* am Hauptbahnhof für alle Strecken der Firma Autokraft (nach Ratzeburg−Mölln−Lauenburg, Hamburg−Bergedorf, Bad Oldesloe, Bad Segeberg−Itzehoe−Brunsbüttel, Ahrensböck, Timmendorferstrand−Niendorf bzw. Neustadt/Holst., Eutin−Plön−Kiel, Heiligenhafen), der Firma Gebr. Sperling (nach Berlin) und der Firma Dahmetal, die den Raum südlich von Lübeck bedient. Die Abfahrtsstelle der Busse der 'Lübeck-Travemünder Verkehrsgesellschaft (LVG)' nach Travemünde (etwa halbstdl.) befindet sich an der Untertrave (nahe Holstentor, Linie B); einige Fahrten beginnen am ZOB und fahren über Bad Schwartau nach Travemünde (Linie A).

STADTVERKEHR durch Busse der Stadtwerke Lübeck, 18 Linien, von denen die meisten den ZOB und/oder den Kohlmarkt (C 4, 5) anfahren, wo umgestiegen werden kann. Empfehlenswert für Touristen ist die Tagessichtkarte zur freizügigen Benutzung aller Stadtbusse während eines Tages (Preis 1982 DM 3,50, für Jugendliche DM 2,10). Fahrplan DM 1,−.

MOTORBOOTE. Stadt- und Hafenrundfahrten ab Anleger *Obertrave* (B 5, Fa. Quandt) und Anleger *Wallhalbinsel* gegenüber der Beckergrube (B 3, Fa. Wriegt) durch die Häfen und rund um die Altstadt, im Sommer 1/2−1 stdl., Dauer etwa 1 Stunde. Die Schiffe der Firma Wriegt sind ausschließlich Amsterdamer Grachtenboote und haben Gastronomie an Bord; mit ihnen werden auch Kaffee- und Abendfahrten bei Kerzenlicht durchgeführt. − Planmäßige Fahrten nach *Travemünde* gibt es nicht mehr; doch können Schiffe dorthin von Gesellschaften gechartert werden; desgl. für Fahrten auf der Obertrave bis *Hamberge* oder auf dem Elbe-Lübeck-Kanal bis *Kl. Berkenthin* und *Mölln*. − W a k e n i t z f a h r t im Sommer ab Anleger Moltkebrücke (jens. F 6) 3−6 mal tgl. in $1^1/_2$ Std. zum *Fährhaus Rothenhusen* am Nordrand des Ratzeburger Sees mit unmittelbarem Schiffsanschluß nach Ratzeburg.

PARKEN. Wegen der äußerst beschränkten Parkmöglichkeiten im inneren Stadtbereich sollten Autofahrer ihren Wagen auf dem Großparkplatz

Wallhalbinsel (Pl. B 3, 4; 1000 Stellplätze, kostenfrei) abstellen. Öffentl. Parkhäuser in der Innenstadt bei St. Marien, Schmiedestraße, Marlesgrube, Pferdemarkt, Hüxtertor, Rosenpforte.

Hotels. Wir nennen eine Auswahl zentralgelegener Häuser. Die hochgestellte Zahl hinter dem Namen bezeichnet die Preisklasse: Hotel [1] = über 100 DM, Hotel [2] = ab 50–100 DM, Hotel [3] = ab 35–49 DM, Hotel [4] = ab 26–34 DM. Im Stadtplan ist die Lage der Hotels durch kleine Buchstaben gekennzeichnet. Preisstand 1982.

Lysia[1] mit Rest. Mövenpick (A 4:y), Beim Holstentor (T. 7 10 77), 260 B.

International[2] (jens. A 5), Am Bahnhof 17–19 (T. 8 11 44), 200 B.

Kaiserhof[2] (D 8:k), Kronsforder Allee 13 (T. 79 10 11), 110 B.

Autel-Auto-Hotel[2] (jens. A 1), Bei der Lohmühle 19, nahe der Autobahnausfahrt Lübeck Mitte (T. 4 38 81), 69 B.

Burgstübl[2] mit Restaurant *Schwarzwaldstuben* (D 2, 3:u), Koberg 12–15 (T. 7 77 15), 20 B.

Jensen[3] mit Grillrest. *'Jagdzimmer'* (B 5:e), An der Obertrave 4–5 (T. 7 16 46), 102 B.

Lindenhof[3] (A 5:l), Lindenstr. 1a (T. 8 40 15), 90 B.

Am Zob[3] (jens. A 5), Hansestr. 3 (T. 9 26 26), 108 B.

Oller Kotten[3] (BC 6:o), Dankwartsgrube 43 (T. 7 02 51), 30 B.

Wakenitzblick[3] (jens. F 6), Augustenstraße 30 (T. 79 17 92), 27 B.

Bahnhofshotel[4] (jens. A 5), Am Bahnhof 21 (T. 8 38 83), 48 B.

Berlin[4] (A 5:r), Moislinger Allee 18 (T. 8 44 11), 75 B.

Hanseatic[4] (jens. A 5), Hansestraße 19 (T. 8 33 28), 25 B.

Am Mühlenteich[4] (D 7:m), Mühlenbrücke 6 (T. 7 71 71), 21 B.

Priebe[4] (jens. A 5), Hansestraße 11 (T. 8 55 75), 25 B.

Zur Burgtreppe[4] mit Rest. *Dominikanerschenke* (D 2:b), Hinter der Burg 15 (T. 7 34 79), 20 B.

Stadtpark[4] (F 1:s), Roeckstraße 9 (T. 3 45 55), 35 B.

JUGENDHERBERGE: Folke Bernadotte-Heim DJH (jens. E 1), Am Gertrudenkirchhof 4 (T. 3 34 33), 180 B. – CAMPING: BAB Auffahrt Lübeck Mitte (T. 49 17 75), 50 Stellplätze.

Restaurants (In Klammern der Ruhetag): *Schabbelhaus* (C 4; So.), Mengstraße 48, im alten Stil eingerichtetes Kaufmannshaus; *Ratskeller* (E 4; So.), unter dem Rathaus, Bier- und Weinkeller, viele Rotweine; *Haus der Schiffergesellschaft* (D 3; Mo.), Breite Straße 2, historische Gaststätte; man sitzt an langen Tischen; *Stadtrestaurant* mit Café *Bel Etage* (jens. A 4), im Hauptbahnhof; *Lübscher Adler* (D 2, 3), Koberg 4; *Lübecker Hanse* (C 5; So.), Kolk 3–7, in altlübischem Stil eingerichtet, französische Küche; *Die Gemeinnützige* (D 3; So.), Königstraße 5, mit Bildersaal und Gartenterrasse; *Jever-Stuben* (B 5; Mo.), An der Obertrave 11, Fischgerichte; *Stadt Plön* (B 5; Mi.), An der Obertrave 9, Fischgerichte; *Salunenmakerstraße 146* (E 5; So.), Schlumacherstraße 4, in historischen Räumen.

WEINSTUBEN: *Heiligengeist-Hospital* (D E 3; Di.), in den Kellerge-
wölben des Heiligengeist-Hospitals, Veranstaltung von 'mittelalterlichen Tafeleyen'; *Weinstübchen* (C 3; Mo.), Beckergrube 93.
IN DER UMGEBUNG: *Bauernkate* (Mo.) und *Twiehaus* (Mo. u. Fr.) in
Israelsdorf; *Traveblick* in Hamberge an der B 75, 10 km südwestl.; *Zur
Bismarcksäule* (Di) auf dem Pariner Berg, 6 km nördl. mit Aussicht;
Waldgasthof *Waldhusen* im Forst westl. der Autobahn nach Travemünde; Waldhotel *Riesebusch* in Bad Schwartau; *Fährhaus Rothenhusen* an der Einmündung der Wakenitz in den Ratzeburger See.

Cafès: *Niederegger* (CD 3), Breite Straße 89, Marzipan; *Maret*
(C 4), Markt 17; *Rathaushof* (C 4), Markt 14; *Junge* (D 3), Breite
Straße 7; *Henning* (C 4, 5), Holstenstraße 13, *Stadthallencafé* (DE 6,
7), Mühlenbrücke 9, mit Kaffeegarten am Krähenteich.

Bars, Tanz-Cafés, Diskotheken: *Fauth* (D 3), Beckergrube 2; *Han-
seaten-Diele* (D 4), Königstraße 25; *Riverboat* (B 4), Am Holstenhafen; *Dr. Jazz* (D 2; Di.), An der Untertrave 1, Jazz-Club.

Unterhaltung: Bühnen der Stadt Lübeck mit *Großem Haus* (923
Pl.), *Kammerspielen* (325 Pl.) und *Studiobühne* (101 Pl.) (D 3), Bek-
kergrube 10. − *Lübecker Marionetten-Theater* (C 5), Kolk 20−22. −
Konzerte: u.a. in der *Stadthalle* (E 7), im *Buxtehudesaal* der Musikhochschule Lübeck, Jerusalemsberg 7/8, und im *St. Annen-Museum*;
geistliche Musik und Orgelkonzerte in fast allen Lübecker Hauptkirchen. Siehe monatl. Veranstaltungsprogramm 'Lübeck aktuell'.

Besuchszeiten

Behnhaus und Drägerhaus (D 3; S. 32): Di.−So. 10−17 (Okt.−März
10−16) Uhr.

Dom (CD 6, 7; S. 38): tgl. 9−18 Uhr.

Katharinenkirche (D 3; S. 33): April−September Di.−So. 10−13,
14−17 Uhr.

Museum am Dom (D 6, 7; S. 40); Musterbahn 8, Sonderausstellungen
des Amtes für Kultur.

Museum im Holstentor (B 4; S. 21): Di.−So. 10−17 (Okt.−März
10−16) Uhr.

Museum für Puppentheater (C 5; S. 22): Di.−So. 9.30−18 Uhr.

Naturhistorisches Museum (D 6, 7; S. 40): Di.−So. 10−17 (Novem-
ber−Februar 10−16) Uhr.

Overbeck-Gesellschaft, Ausstellungsgebäude Königstraße 11 (D 3; S.
33): Di.−So. 10−16.30, im Winter 10−16 Uhr.

Petrikirche, Turm (C 5; S. 22): Fahrstuhl zur Aussichtsplattform,
April bis Oktober 10−18 Uhr.

Rathaus (C 4; S. 22): Führungen Mo.−Fr. 11, 12 und 15 Uhr.

St. Annen-Museum (D 6; S. 35): Di.−So. 10−17 (Okt.−März 10−16)
Uhr.

St.-Aegidienkirche (D 5; S. 35): Di.−Sa. 10−13, 15−17 Uhr.

St. Jakobikirche (D 3; S. 28): Mo. 10−16, Di.−Sa. 10−18 Uhr.

St.-Marienkirche (C 4; S. 23): tgl. 9−18 Uhr.

Stadtarchiv (C 7; S. 40): Mo.−Fr. 9−16 Uhr.

Stadtbibliothek (D 4; S. 35): Mo.−Fr. 8−18, Sa. 8−13 Uhr.

Tierpark (S. 42): 9 Uhr bis zum Eintritt der Dunkelheit.

Überseeausstellung auf dem Museumsschiff MS "Mississippi" (B 4; S. 22) tgl. 9−20 Uhr.

Stadtführungen: Sa. 14 und So. 11 Uhr ab Touristbüro am Markt; im Sommer auch Abendführungen. − STADTRUNDFAHRTEN durch die Lübeck-Travemünder Verkehrsgesellschaft (LVG) Mi. und Sa., im Sommer tgl. 10.30 ab LVG-Haltestelle Untertrave, nahe dem Holstentor. − RUNDFLÜGE über Lübeck und Umgegend vom Flughafen Blankensee (S. 41); Anmeldungen unter Tel. 5 18 43.

Badeanstalten: *Zentralbad Lübeck* (Hallenbad), Schmiedestraße 1−3 (C 5); *Freibad Krähenteich,* an der Mauer (DE 6); weitere Bäder in den Außenbezirken der Stadt.

Souvenirs: *Marzipan,* Brote und vielerlei Arten von geformtem Marzipan, größte Auswahl im Café 'Niederegger', Breite Straße 89. − *Rotwein,* der in Lübecker Kellern besonders gut reift. − *Kacheln und Gläser* mit Lübecker Motiven. − *Schallplatten* mit Lübecker Kirchenmusik.

Bücher und Karten über Lübeck

BILDBÄNDE: *Lübecker Nachrichten,* Lübeck, DM 42,−; *Enns,* Lübeck DM 15,−; *Hasse/Castelli,* Lübeck, DM 29,80; *Grönewold,* Lübeck, DM 24,−; *Andresen,* Lübeck, das alte Stadtbild, DM 34,50; *Schöning-Schmidt,* Hansestadt Lübeck, eine Stadt stellt sich vor (Farbaufnahmen), DM 5,−; *Schmidt-Römhild,* Lübeck, Du selten schöne Stadt, DM 19,80; *Lübecker Nachrichten,* Das ist die Hansestadt Lübeck, DM 20,−; *dies.,* Die Hansestadt auf alten Ansichtskarten, DM 18,−; *Schmidt-Römhild,* Mit der Kamera durch Lübeck, DM 9,80; *Europ. Bibliothek,* Lübeck in alten Ansichten, DM 29,80.

GESCHICHTE, *Lindtke,* Die Stadt der Buddenbrooks, DM 39,80; *Krabbenhöft,* Verfassungsgeschichte der Hansestadt Lübeck, DM 7,80; *Deecke,* Lübische Geschichte und Sagen, DM 29,80; *Endres,* Geschichte der Hansestadt Lübeck, DM 54,−.

KUNST: *Presseamt,* Lübeck, hist. Altstadt, DM 3,−; *Schmidt-Römhild,* Lübecker Führer, Bd. 1−9, je DM 3,80; *Hübner,* Das Bürgerhaus in Lübeck, DM 58,−.

KARTEN UND PLÄNE: *Weiland,* Stadtplan 1 : 17000 mit Innenstadtplan und Auto- und Wanderkarte der Umgegend 1 : 100000, DM 5,95; *Falkplan,* DM 5,90; *Bollmann,* Bildplan, DM 5,80; *Lübecker Nachrichten,* Wanderkarte 1 : 50000, DM 5,50.

Das größte Sortiment an Büchern hat die Buchhandlung *Weiland,* Königsstraße 79. Die einzige Tageszeitung der Hansestadt sind die 'Lübecker Nachrichten'.

Allgemeines und Geschichte

Lübeck ist heute der größte Ostseehafen der Bundesrepublik und mit rd. 220000 Einwohnern nach Kiel die größte Stadt Schleswig-Holsteins (1939: 155000). Als jahrhundertealtes Haupt der Hanse und bis 1937 als Freie und Hansestadt besitzt Lübecks Altstadt, die auf einem wasserumgebenen Höhenrücken liegt, ein Gepräge von so altehrwürdiger Geschlossenheit und Größe wie kaum eine andere deutsche Großstadt. Das einzigartige Stadtbild blieb trotz des furchtbaren Bombenangriffes vom 29. März 1942, der u.a. drei der fünf Hauptkirchen und etwa 70 alte Kaufmannshäuser ganz oder teilweise zerstörte, weitgehend erhalten. Wiederaufgebaut wurden die fünf zerstörten Turmhelme, sodaß alle Ankommenden wieder mit dem altvertrauten Bild der "Stadt mit den sieben Türmen" begrüßt werden.

Die Stadt liegt rd. 20 km von der Ostsee entfernt an der Trave, deren Unterlauf kanalisiert und auf Seeschifftiefe (9,5 m) gebracht wurde. Seit 1900 ist der Hafen durch den 67 km langen Elbe-Lübeck-Kanal an das mitteleuropäische Wasserstraßennetz angeschlossen. Die Trave führt westlich um die Altstadt herum. Die von Südosten einmündende Wakenitz wurde im 13. Jh. im Osten der Stadt seeartig aufgestaut. Die Hafenbecken liegen nördlich um den Stadtkern, und zwar die Binnenhäfen im Osten, die Seehafenbecken im Nordwesten. Von besonderer Bedeutung ist der seit 1962 kontinuierlich ausgebaute Skandinavienkai in Lübeck-Travemünde mit sechs Fähranlegern für den Fracht- und Passagierverkehr; ein siebenter war 1982 im Bau.

Lübeck bildet einen Stadtkreis Schleswig-Holsteins mit 214 qkm (der Fläche nach an 13. Stelle, nach den Einwohnern an 29. unter den deutschen Großstädten). Das Stadtgebiet umfaßt den Unterlauf der Trave einschließlich Travemünde. Die östliche Stadtgrenze, beginnend am Priwall an der Ostsee, ist zugleich Grenze zur DDR, wobei auch der Dassower See, eine tief nach Mecklenburg hineinschneidende Ausbuchtung der Trave mit einem wenige Meter breiten Uferstreifen noch zu Lübeck gehört. Im Stadtparlament, der Bürgerschaft, hat die CDU 25, die SPD 22 und die FDP 2 Sitze (1982). Sie wählt auch den Lübecker Senat, der aus 5 haupt- und 9 ehrenamtlichen Mitgliedern besteht.

Die WIRTSCHAFT in Lübeck wurde jahrhundertelang von Handel und Seeschiffahrt bestimmt. Seit der Jahrhundertwende wuchs die Industrie beständig. Der Hafen (Jahresumschlag rund 10 Mio t) umfaßt 11 Hafenbecken mit gut 10 km Kailänge. Zu den wichtigsten Einfuhrgütern zählen Zellstoff, Papier und Pappe aus skandinavischen Ländern, Holz aus der UdSSR und Skandinavien sowie Kohlen, Steine und Erden. Im Ausgang dominieren Stückgut und chemische Erzeugnisse, Düngemittel, Eisen- und Stahlerzeugnisse, Kraftfahrzeuge sowie Schwefel und Salz, das seit alters her nach Skandinavien exportiert wird, wo es keine Salzvorkommen gibt.

Die Industrie in Lübeck hat sich zunächst aus Verkehrsgründen an der Untertrave angesiedelt. 1837 wurde die heutige Firma *Orenstein & Koppel* gegründet, die wie die *Flenderwerft* international bekannt ist. Größtes Industrieunternehmen Lübecks mit rd. 4600 Beschäftigten ist die *Drägerwerk AG*, die als Hersteller von Atemschutz-, Medizin-, Druckgas-, Gasmess-, Filter- und Tauchtechnik einen guten Ruf genießt.

Lübeck umfaßt weiter Betriebe des Maschinenbaus, der Elektrotechnik, der Feinmechanik und der Holzverarbeitung. Von Bedeutung ist die Ernährungsindustrie − Fertiggerichte, Fischkonserven − und die Verpackungsindustrie, die Textilindustrie, die chemische Industrie sowie die keramische Industrie *(Villeroy & Boch)* und schließlich die Druckindustrie. Deutschlands ältestes Verlags- und Druckhaus *(Schmidt-Römhild)*, gegründet 1579, hat seinen Sitz in der Innenstadt. Unter den Kunsthandwerken sind die Teppichweberei und das Goldschmiedehandwerk zu erwähnen.

Von altem Ruf sind Lübecks Weinhandel (Rotspon) − die Weinhandlung *Carl Tesdorpf* befindet sich seit 1678 in Familienbesitz − und vor allem das Lübecker Marzipan.

Marzipan, eine Masse aus Mandeln und Zucker, ist aus dem Orient zu uns gekommen, auch der Name ist orientalisch. Nachweisbar ist seine Herstellung in Lübeck erstmalig 1530, als man für den sonst für Medikamente verwendeten Rohrzucker allein den Apothekern ein entsprechendes Privileg einräumte. Leisten konnten es sich nur Fürstenhäuser und reiche Kaufherren. Erschwinglich wurde Marzipan erst, als es aus Rübenzucker seit Anfang des 19. Jh. billiger herzustellen war. 1869 nahm die erste Fabrik die Produktion auf. Die Lübecker Marzipanhersteller unterwerfen sich besonders strengen Qualitätsvorschriften. Am bekanntesten ist das Niederegger-Marzipan.

Für das GEISTIGE und KULTURELLE Leben Lübecks sind von Bedeutung: Die *Fachhochschule* mit den Fachbereichen Technik, Bauwesen und Angewandte Naturwissenschaften, die *Medizinische Hochschule*, die *Musikhochschule* und die *Fachschule für Seefahrt*. Von Mai bis Oktober finden in den Lübecker Kirchen Abendmusiken statt.

Das *Theater* sieht auf eine mehr als eine 200 jährige Tradition zurück. Außerdem hat Lübeck ein *Kleines Haus*, eine *Studiobühne*, ein *Marionettentheater* und eine *Freilichtbühne* in den Wallanlagen. − Das *St.-Annen-Museum* ist eine Schatzkammer der lübischen Kunst vom 13.−18. Jahrhundert; Kunstwerke des 19. und 20. Jh. sind im *Behn-* und im *Drägerhaus* ausgestellt. Hauptsächlich zeitgenössische Kunst zeigen die *Overbeck-Gesellschaft*, das *Haus der Kunst* und weitere Galerien. Das *Naturhistorische Museum* am Dom hat 1962 einen Neubau erhalten. Im Holstentor befindet sich ein kleines *Museum zur Stadtgeschichte*. Seit 1982 gibt es in Lübeck ein *Museum*, in dem *Pup-*

pen und *Marionetten* aus aller Welt gezeigt werden. – Eine bedeutende Rolle für das gesamte kulturelle und soziale Leben der Stadt spielt
die 1789 gegründete 'Gesellschaft zur Beförderung gemeinnütziger
Tätigkeit' (Königstr. 5). – Am Buniamshof in den südlichen Wallanlagen liegt ein schönes *Sport-Stadion*.

Lübeck ist die **H e i m a t s t a d t** des Pädagogen *August Hermann
Francke* (1663–1727, † in Halle), eines Mitbegründers des Pietismus,
der Dichter *Emanuel Geibel* (1815–1884) und *Gustav Falke*
(1853–1916) sowie der Brüder *Heinrich Mann* (1871–1950) und *Thomas Mann* (1875–1955). Dieser schilderte in seinem Roman 'Buddenbrooks' (1901) den Niedergang einer Lübecker Patrizierfamilie im 19.
Jahrhundert. In Lübeck geboren sind ferner der Maler *Hermen Rode*
(1435–1505), der Bildschnitzer *Claus Berg* (*um 1475), die Maler
Gottfried Kniller (1646–1723) und *Friedrich Overbeck* (1789–1869).
Die Dichterin *Ida Boy-Ed* (1852–1928) lebte und wirkte zuletzt in Lübeck.

GESCHICHTE. Im 11. Jahrhundert tritt Lübeck in die Geschichte,
zuerst als Siedlung *Liubice* oder *Ljubike* (= die Schöne oder die Lieb-
liche) an der Mündung der Schwartau in die Trave. Diese Siedlung bestand aus einer Königsburg, einer christlichen Kirche, einer Handwerkersiedlung und kaufmännischen Niederlassungen und wurde im Jahre
1138 zerstört. Als Graf Adolf II. von Holstein daranging, das slawi-
sche Gebiet einzudeutschen, war die wichtigste Voraussetzung hierzu
die Gründung einer Handelsstadt an der Travemündung, um den
Nordosthandel auf diesen Handelsweg hinüberzuziehen. Er wählte für
seine Neugründung 1143 den eiförmigen, wasserumgebenen Hügel
'Buku' zwischen der sumpfigen Trave und der Wakenitz, einen Platz,
über den schon lange ein Handelsweg lief. Den einzigen Zugang von
Norden sicherte er durch eine Burg und zog Kaufleute aus West-
deutschland in die Stadt.

Heinrich der Löwe, der Landesherr Adolfs, fühlte seine eigene
Schöpfung Bardowiek bedroht und bestimmte den Grafen 1158 zur
Abtretung des Platzes. In klarer Erkenntnis der Gunst von Ort und
Zeitpunkt zur Schaffung eines großen Ausfallstores in die Ostsee, stat-
tete er die Stadt reich mit Privilegien aus und gab ihr Stadtrecht nach
Soester Vorbild, das später als 'Lübisches Recht' von mehr als 100
Städten im Ostseeraum übernommen wurde. 1160 verlegte er das Bis-
tum Oldenburg nach Lübeck, 1163 wurde der erste Dom geweiht. 1173
oder 1174 begann man mit dem Bau einer großen Domkirche. Der
deutsche Ostlandgedanke fand in Lübeck eine Verwirklichung, und
als durch den Sieg bei Bornhöved (1227) die Macht der Dänen in Nord-
deutschland endgültig gebrochen wurde, begann ein Aufstieg, der die
Ostsee für Jahrhunderte zu einem deutschen Meer machte. Schon

Friedrich Barbarossa hatte Lübeck 1188 einen Freibrief gegeben, Friedrich II. erhob es 1226 zur freien Reichsstadt.

Diese Reichsfreiheit, verbunden mit dem Wagemut seiner niederdeutschen Kaufleute, gab Lübeck die Möglichkeit zu einer starken und selbständigen Handelspolitik, die ihm bald die Führung der neugegründeten **Hanse** sicherte. Die Hanse (althochdeutsch Hansa = Schar, Bund) war ein Zweckverband niederdeutscher Städte zum Schutz des Handels, da eine starke Reichsgewalt fehlte. Die Hanse hatte weder Beamte noch Kriegsschiffe. Das natürliche Schwergewicht des aufblühenden Ostseehandels erlaubte dem Städtebund durch drei Jahrhunderte, den aufstrebenden Großreichen des Nordens und Ostens durch eine kraftvolle und geschickte Politik immer wieder die Spitze zu bieten, ohne dabei von einer aktiven Reichspolitik getragen zu sein. Der beispiellose Aufstieg Lübecks gründete sich auf seinen Umschlag der Rohstoffe des Ostens und Nordens gegen Fertigwaren des Westens und Südens. Die Hanse hatte Handelskontore in den Städten London, Brügge, Bergen und Nowgorod. Die Kaufleute waren in verschiedene Kompanien gegliedert. Die *Nowgorodfahrer* brachten Pelz, Holz, Wachs, Pech Teer, Flachs und Hanf aus Rußland, die *Schonenfahrer* die als Fastenspeise wichtigen Heringe, die *Schwedenfahrer* Erze, die *Bergenfahrer* Stockfisch aus Norwegen. Aus England und Flandern kamen Tuche und Metallwaren. Verbindungen mit den großen oberdeutschen Städten Frankfurt, Nürnberg, Augsburg und Straßburg dienten dem Austausch mit den Gütern des Mittelmeeres und des Orients. Die Seefahrt wurde bald durch die 100 Tonnen fassende, sehr seetüchtige Hansekogge verbessert, das kaufmännische Verkehrswesen durch Kommissionsgeschäfte usw. verfeinert. Der Erwerb von Travemünde 1329 sicherte Lübeck den eigenen Zugang zur Ostsee.

Diese gewaltige Handelsmacht war nur dadurch zu entfalten und zu sichern, daß Lübeck eine namhafte Flotte und ein Heer aufbieten konnte, wo immer die Diplomatie nicht ausreichte. Um 1350 war der hansische Städtebund vollendet, das Jahr 1370 brachte nach schweren Kämpfen im Frieden von Stralsund Lübecks Herrschaft über die Ostsee. Kaiser Karl IV. würdigte im Jahre 1375 die Stadt seines Besuches und zählte sie hierbei mit Rom, Pisa, Florenz, Venedig zu den fünf Herrenstädten seines Reiches. Damals hatte Lübeck 30 000 Einwohner und die Ausdehnung der heutigen Innenstadt. 1391 – 98 wurde ein Kanal von der Trave zur Elbe ('die Stecknitzfahrt'), die erste künstliche Wasserstraße in Nordeuropa, gebaut.

Das 14./15. Jahrhundert brachte den Zusammenschluß der nordischen Staaten in der Kalmarer Union (1397), Kämpfe um die Freiheit der Sundschiffahrt (Sundzoll bestand bis 1867), den günstigen Utrechter Frieden mit England und schließlich 1478 einen schweren Schlag dadurch, daß die Großfürsten von Moskau das Hansekontor in Nowgorod schlossen. Auch verlor Lübeck sein Hinterland Holstein, das eine Personalunion mit Dänemark einging.

Im 16. Jahrhundert begann sich der genossenschaftliche Verband der Hanse zu lockern. Die Reformation förderte individuelle Lebensauffassung, die Entdeckungsfahrten rückten die Ostsee (und das Mittelmeer) aus dem Zentrum des Handels. England und Holland erstarkten in der neuen günstigen Position und zogen auch den Ostseehandel z.T. an sich. Lübeck versuchte in zähen diplomatischen und militärischen Kämpfen seinen Rang zu halten, besonders durch eine geschickt zwischen Schweden und Dänemark lavierende Politik; doch war der Zenit der Macht überschritten.

Das 17. und 18. Jahrhundert brachte den Niedergang der Hanse. 1630 fand der letzte Hansetag statt, an dem nur Lübeck, Hamburg und Bremen noch teilnahmen. Die 1613 aufgeführten starken Befestigungen hielten den 30jährigen Krieg fern und sicherten Lübeck eine lange und ruhige Nachblüte, wenn auch in bescheidenerer Form; denn der Versuch der Stadt, sich in den Atlantikhandel einzuschalten, mußte scheitern. Lediglich der Handel mit französischen und spanischen Weinen begann zu blühen.

Im 19. Jh. hatte Lübeck schwer unter der Franzosenherrschaft zu leiden, Blücher kapitulierte am 6. November 1806 bei Ratekau. Nach der Auflösung des Reiches schlossen sich Hamburg, Bremen und Lübeck zum Bund der Freien und Hansestädte zusammen. Die Stadt führte dann einen jahrzehntelangen Kampf gegen das ihre Verkehrswege hemmende Dänemark und trat 1868 nach Eingliederung Schleswig-Holsteins in Preußen dem Norddeutschen Bund bei. Die Eröffnung des Nord-Ostsee-Kanals traf Lübecks Hafen schwer und wurde erst 1900 durch den Bau des Elbe-Lübeck-Kanals z.T. wieder wettgemacht.

Im 20. Jh. begann die Industrialisierung Lübecks (1906 Gründung des Hochofenwerks). 1911 wurde Lübeck Großstadt. 1920 erhielt die Stadt eine demokratische Verfassung. 1937 wurde die Reichsfreiheit aufgehoben, nachdem sie 700 Jahre bestanden hatte. Lübeck wurde als Stadtkreis in Schleswig-Holstein eingegliedert, doch verblieb ihm fast das gesamte Staatsgebiet als Stadtbesitz. Gleichzeitig wurde das einstige Fürstentum Lübeck aufgehoben und in die Landkreise Eutin und Oldenburg eingegliedert. 1942 wurde ein großer Teil der Altstadt durch einen schweren Fliegerangriff zerstört. Seit der Spaltung Deutschlands ist Lübeck Grenzstadt zur DDR.

Stadtbild

*'Lubeke aller Steden schone
Van riker Ehren dragestu de Krone.'*
(Spruch aus dem 15. Jahrh.)

Deutschland besitzt heute wohl keine zweite mittelalterliche Handelsstadt, deren alter Prägung die Jahrhunderte mit ihren Veränderungen und Zerstörungen so wenig haben anhaben können. Dies verdankt die Altstadt vor allem dem Wasserring, der ihre Form von der Gründung an bestimmt hat und über den sie bis ins 19. Jahrhundert, also in 700 Jahren, nicht hinausgewachsen ist.

Der Platz, auf dem Lübeck angelegt wurde, ist eine eiförmige Insel von 2 km nordsüdlicher Länge und bis 1 km Breite, durchquert von einem Hügelzug, der in einigen Anhöhen bis 16 m ansteigt. Den Wasserring bilden im Westen die Trave, im Osten ursprünglich die Wakenitz, die nördlich von Lübeck die Trave beinahe erreicht, dann jedoch nach Süden umbog und oberhalb der Stadt in die Trave mündete. Diesen einzigen Zugang im Norden verschloß man durch eine Burg, staute die kleine Wakenitz durch ein Mühlenwehr um 4 m zu einem See an und hatte dadurch in dem sumpfigen Travegebiet eine Siedlung von unübertrefflicher Sicherheit. Die Hauptstraße führte man in zwei parallelen Zügen auf dem Hügelkamm von der Burg nach Süden (Breite und Königstraße) und legte an der höchsten Stelle in der Mitte den Markt an. Zunächst entwickelte sich das landesherrliche Viertel um die Burg im Norden und das bischöfliche Viertel um den Dom im Süden, und zwar in Rivalität zueinander, doch verschaffte die Reichsfreiheit den Bürgern ein solches Übergewicht, daß sie vom 14. Jh. an das Geschick der Stadt bestimmten.

Zu dem klaren Bauplan tritt als einheitliches Baumaterial der Ziegel. Schon im 13. Jh. wird Holzbau verboten und Steinbau Vorschrift. So ist Lübeck in der Folge die Stadt geworden, die die baulichen und künstlerischen Möglichkeiten des Ziegelbaues, vor allem im Gewölbebau, zu hoher Vollendung geführt und über das ganze Ostseegebiet verbreitet hat. Von den Hauptstraßen, die dem Hügelrücken folgten, ließ man Querstraßen zu den beiden Flüssen hinablaufen, von denen die nach Westen zum Travehafen führenden von Kaufleuten bewohnt waren, während die östlichen den Klöstern und Handwerkern vorbehalten blieben. Die Straßen des alten Lübeck sind nirgends gerade, sondern steigen in leichter Biegung zur Mitte an, einige im Westen sind als Warenstapelplätze in der Mitte spindelartig erweitert. Die höchsten Punkte nehmen die Burg, das Rathaus und die Kirchen ein.

Ursprünglich gab es nur zwei Grundstücksgrößen, aus denen sich das berühmte Lübecker Kaufmannshaus entwickelte. Außer den Kirchen traten vier Klöster mit bedeutenden Bauten hervor.

Lübeck hat dieses im Mittelalter entstandene Gesicht bewahrt, denn Adel und Klerus, die großen Bauherren des Barock, haben in der Stadt keine Macht gehabt. Im 19. Jh. wurden die Wälle niedergelegt, und die Vorstädte wuchsen um ein Vielfaches der Innenstadt. Durch die Regulierung der Trave wurde die Wakenitz abgeschnitten, ihr verbliebenes Bett unterhalb der Stadt mit der Trave verbunden und damit eine Wasserverbindung auch östlich um die Altstadt herum geschaffen; in ihrem Zuge verläuft der 1900 eröffnete Elbe-Lübeck-Kanal. Auch wurden die Häfen vergrößert. Nach 1870 wurde sehr stark in das alte Gefüge eingegriffen. Das Wilhelminische Reich versuchte mit historisierenden Bauten vergeblich, an entscheidenden Punkten der Stadt die große Tradition aufzunehmen; so. z.B. am Marktplatz mit der Hauptpost, am Burgtor mit dem Gerichtsgebäude, an Stelle der Klöster mit den Schulen Johanneum und Katharineum, an der Mühlenbrücke mit der Stadthalle und hinter dem Dom mit dem Dommuseum. Der Bombenangriff vom 29. März 1942 zerstörte 20 % der Altstadt, vor allem das älteste Viertel um St. Marien mit der Mehrzahl der schönsten Giebelhäuser, dazu die Kirchen St. Marien, St. Petri und den Dom zum großen Teil. Unversehrt blieben nur St. Jakobi und St.-Aegidien. Alle Kirchen wurden wiederaufgebaut; nur St. Petri ist im Innern immer noch Ruine.

Die KIRCHEN des alten Lübecks sind fast alle an den höchsten Punkten des Hügelrückens errichtet, der die Stadt durchzieht, und beherrschen mit ihren sieben spitzen Turmhelmen, von denen nur zwei den Krieg überstanden, das Stadtbild von weither. Es zeugt von der gewaltigen Kraft des aufblühenden Lübecks, daß alle diese Kirchen – Dom, St. Marien, St. Petri, St. Jakobi, St. Ägidien, St. Katharinen – zwischen 1170 und 1220 errichtet wurden und daß schon ab 1250 größere Neubauten an ihre Stelle traten, die auf uns gekommen sind, alle beachtenswerte Werke der norddeutschen Backsteingotik. Der Baustoff ist bei allen der Ziegel, mit einzelnen Baugliedern in Haustein. Die Doppeltürme, die St. Marien und den Dom auszeichnen, waren auch für St. Jakobi und St. Petri vorgesehen, kamen hier jedoch nicht mehr zur Ausführung. Der bauliche Wetteifer der Bürgerschaft mit dem Bischof ließ in St. Marien eine Stadtkirche von monumentalen Ausmaßen entstehen, wobei die französische Kathedrale als Vorbild diente. Die nachmittelalterlichen Jahrhunderte fügten den Bauten nur sehr wenige Veränderungen zu, bereicherten oder verdrängten aber die alte Ausstattung durch barocke Altäre, Grabkapellen und Epitaphien.

Das alte LÜBECKER BÜR-
GERHAUS ist ein Giebelhaus,
das aus den Erfordernissen des
Handels seine originelle Gestalt gewann. Der Kaufmann
brauchte ein hohes und schma-
les, aber tiefes Haus, das wenig
Grundsteuer kostete, viel Sta-
pelmöglichkeit für Waren bot
und dessen Speicher von der
Straße gut zugänglich war. Die
alten   Fachwerkhäuser   mit
Strohdächern   verschwanden
nach verheerenden Bränden
sehr bald, doch lebte ihre Bau-

weise in den starken Backsteinpfeilern mit dünner Felderfüllung noch
länger fort. Das klassische Kaufmannshaus ist zweigeteilt. Unten befindet sich die große Diele, um die sich die Küche, das Kontor und die
Schlafkammer gruppieren, zunächst nur als 'Anhängsel'. Darüber liegen die drei- bis vierstöckigen Speicher. Die Zweiteilung wird außen
durch ein Gesims betont. Der Oberbau hat ein steiles Dach, das durch
Treppengiebel in seiner Schroffheit gemildert wird. Der Ehrgeiz
bringt es auf zehn und mehr Stufen. Die Speicherluken sind in gotischer Zeit spitzbogig und liegen in hohen Blendnischen, vom 16. Jh.
an werden sie flachbogig geschlossen und horizontal zusammengefaßt.
Außerdem bekommen die Häuser nun reiche Sandsteinportale, und
mitunter wird die Fassade durch keramische Schmuckbänder belebt.
    Die Diele diente dem Warenverkehr und als Wohnung. Der Herd
und die Schlafbänke befanden sich ursprünglich an der Seite, später
wurde die Küche hinter Glaswände gelegt und eine Wohnstube (Dvor-
nica, Döns, Ofenstube) abgetrennt. Der 'Wendelstein' stieg spiralig
nach oben. Von ihm aus war die 'Hangelkammer', die an der Dielen-
decke hängende Schlafkammer, zugänglich. Wohlhabende Kaufleute
pflegten später für Wohnung und Kontor einen besonderen Flügel
nach rückwärts anzubauen. – Das schönste Haus war das Schabbelhaus in der Mengstraße. Es wurde 1942 zerstört, doch ist die altbekannte Gaststätte seit 1956 mit stilgerechter Einrichtung wieder eröffnet. Man findet noch weitere gute Beispiele alter Giebelfronten und
Dielen in den Altstadtstraßen. Die besten Beispiele der Gotik: Dr. Ju-
lius-Leber-Straße 13; Gr. Petersgrube 15 und 25. – Renaissance:
Glockengießerstraße 26; Wahmstraße, Fischergrube, Beckergrube. –
Barock: Gr. Petersgrube 21.

    DIE STADTBEFESTIGUNG. Die Stadt war durch ihre wasserumge-
bene Lage außerordentlich begünstigt. Gegen Westen schützte die

Trave, im Osten hatte man den dünnen Lauf der Wakenitz durch drei Mühlendämme seeartig aufgestaut, wo heute noch der Mühlenteich und der Krähenteich sind. Auf der Innenseite des Wasserringes lief seit 1250 eine Stadtmauer. Sie hatte vier Tore: das Burgtor an der Burg im Norden für die Straße von Mecklenburg her, das Holstentor im Westen für die Straße von Holstein und Hamburg, das Mühlentor im Süden für Lauenburg und das Hüxtertor im Osten. Im 15. Jh. wurden dann die prächtigen Torbauten errichtet, von denen das Holsten- und das Burgtor erhalten sind. Das Aufkommen der Feuerwaffen im 16. und 17. Jh. erforderte gewaltige Verstärkungen und Erweiterungen. Die 200 bis 300 m breite Wakenitz bot genügend Schutz im Osten, doch mußten im Westen parallel zur Trave ein sternförmiger Stadtgraben angelegt und Erdwerke und Bastionen aufgeworfen werden. Dieser im 16. und 17. Jh. geschaffene Ring umschloß Lübeck vom Burgtor bis zum Mühlentor und erwies sich als stark genug, die Heere des 30jährigen Krieges abzuhalten. 1803 begann die Schleifung der Befestigungsanlagen und zog sich durch das ganze Jahrhundert hin. Erkennbar sind die Wallanlagen noch im Süden und Westen der Stadt, wo man auf ihnen Parks anlegte.

DIE HÄFEN. Die See- und Binnenhäfen der Stadt liegen heute noch zum großen Teil unmittelbar um den nördlichen Stadtkern herum. Neue Umschlaganlagen wurden weiter traveabwärts geschaffen. Nachdem die Trave bis Lübeck auf 9,5 m vertieft wurde, können Schiffe bis 50 000 tdw Lübeck erreichen. Am Nordlandkai im Vorwerker Hafen findet hauptsächlich Containerumschlag und Roll-on-Roll-off Verkehr statt. Mehrere Frachtfähren verbinden Lübeck in regelmäßigem Dienst mit Finnland.

Der Klughafen (nach Bürgermeister Klug), der bis zur Hubbrücke beim Burgtor reicht, wird als *Binnenhafen* im Zuge des Elbe-Lübeck-Kanals genutzt. Flußabwärts liegen der *Burgtorhafen,* der *Umschlaghafen* am Konstinkai und der *Vorwerker Hafen.* Hinzu kommen die Fischereihäfen von Travemünde, Schlutup und Gothmund und hauptsächlich für den Passagierverkehr die Travemünder Hafenanlagen mit dem *Skandinavienkai.* Der *Holstenhafen* an der Untertrave dient nur noch als Liegeplatz.

Die Altstadt

Der Weg vom Bahnhof und von der Autobahn zur Altstadt führt zunächst zum Lindenplatz (Pl. A 4), in dessen Grünanlagen zwei Bronzedenkmäler stehen: *Bismarck* von Hundrieser (1903) und gegenüber *Wilhelm I.* von Tuaillon. Dann überschreitet man die **Puppenbrücke,** der acht Sandsteinfiguren von 1776 den Namen gegeben haben: der Trave-Flußgott, die Eintracht, der Friede, Merkur, die Klugheit, ein römischer Krieger, Neptun und die Freiheit. E. Geibel besang die Brücke mit folgendem Vers: 'Zu Lübeck auf der Brücken, / da steht der Gott Merkur, / er zeigt in allen Stücken / olympische Figur. / Er wußte nichts von Hemden / in seiner Götterruh, / drum kehrt er allen Fremden / den bloßen Podex zu' (der Neptun fehlt). Im Blickfeld erscheint jetzt das berühmte Holstentor. Zu ihm führt vom Holstentorplatz eine Grünanlage, deren Eingang zwei Bronzelöwen von *Rauch* flankieren.

Das ****Holstentor** (Pl. B 4, 5), ist eines der großartigsten mittelalterlichen Tore in Deutschland. Es wurde 1466−77 von Stadtbaumeister Heinrich Helmstede gebaut und besteht aus zwei mächtigen, vierstöckigen Rundtürmen mit Kegeldächern und einem reichgegliederten, schmalen Mittelbau. Auf der Westseite springen die Türme weit vor, auf der Ostseite schließen sie bündig und bilden samt der Mitte eine einheitliche Schmuckfassade mit drei Blendenreihen. Um den ganzen Bau ziehen sich zwischen den Geschossen ornamentierte Terrakottafriese. Die Inschrift über dem Torbogen lautet: CONCORDIA DOMI FORIS PAX (Eintracht daheim, Friede draußen). 1871 wurde das Bauwerk wiederhergestellt. Eindrucksvoll sind die schweren Mauern, Schießscharten und Kasematten von innen.

Das *Museum im Holstentor* (Eintr. S. 10) enthält Sammlungen zur Stadtgeschichte, die in den runden Türmen höchst reizvoll aufgestellt sind. Bemerkenswert ist ein großes, von Schülern 1934 gefertigtes Modell der *Stadt Lübeck* im Jahre 1650. Ein weiteres Modell zeigt die *Fischstraße* mit ihren prächtigen Bürgerhäusern von 1942. Ferner Stadtansichten in großer Zahl, darunter die älteste vor 1482 auf einem Altarflügel von Herman Rode (Kopie nach dem Original in Reval) und ein prächtiger großer Holzschnitt Elias Diebels von 1552. Urkunden und Karten illustrieren die Entwicklung der Hanse und die Handelspolitik Lübecks. Auch Grabungsfunde von Alt-Lübeck (s. S. 43) und von den Trümmergrundstücken befinden sich hier; im Erdgeschoß mittelalterliche Folterinstrumente. Direktor: Dr. Wulf Schadendorf.

Unmittelbar an der Trave, südlich vom Holstentor, stehen die **Salzspeicher** (Pl. B 5), sechs schlichte Speicherbauten, die im 16. Jh. von den Salzherren für den Lüneburger Salzhandel aufgeführt worden sind (Gedenktafel). Heute ist hier ein Modehaus untergebracht.

Über die Trave führt die *Holstenbrücke,* die älteste der Stadt; sie schied in alter Zeit die Flußhäfen in der *Obertrave* von den Seehäfen in der *Untertrave,* doch liegen die Häfen jetzt weiter außerhalb der Stadt. Etwas unterhalb der Brücke befindet sich der Liegeplatz des Expeditionsschiffes MS *"Mississippi"* (Pl. B 4) mit einer ständigen Überseeausstellung an Bord. Die sehenswerte Sammlung umfaßt Stücke aus der überseeischen Tier- und Pflanzenwelt und aus dem Bereich der Ethnographie, darunter viele Exotika, insgesamt etwa 2000 Exponate.

Ansteigend und verkehrsreich führt die *Holstenstraße* zum Markt. Rechts zweigt die schmale Gasse Kolk ab. Hier, Ecke Kl. Petersgrube, das 1982 eröffnete *Museum für Puppentheater* (Pl. C 5). In 13 Räumen werden über 700 Marionetten, Hand- und Stockpuppen, Schattenspielfiguren und sonstige Requisiten aus Europa, Asien und Afrika gezeigt. Es ist neben dem Puppenmuseum in München das vollständigste in Europa. Gegenüber, im Hause Kolk 20–22, das *Lübecker Marionetten-Theater..*

In unmittelbarer Nähe steht die 1942 ausgebrannte, im Innern noch nicht wiederhergestellte **St. Petri-Kirche** (Pl. C 5). Sie war eine fünfschiffige Hallenkirche mit Westturm und unregelmäßigem Ostabschluß. Der Bau wurde anstelle einer romanischen Kirche des 12. und 13. Jh. dreischiffig aufgeführt; im 14. und 15. Jh. baute man auf beiden Seiten Kapellen an, die später zu weiteren Schiffen vereinigt wurden. Der Turm ist 1225 begonnen, 1414 um zwei Stockwerke erhöht worden und hat jetzt einen Aufzug, der zu einer Plattform mit hervorragender **Rundsicht* über Stadt und Umgebung führt. Als letztes der zerstörten Wahrzeichen der Stadt wurde 1962 der Helm des Turmes wiederhergestellt, das Dach 1966 geschlossen.

Das ***Rathaus** (Pl. B 4) am Markt, eines der großartigsten in Deutschland, wurde vom 13. bis zum 16. Jh. erbaut und besteht aus drei klar gegliederten Teilen: der älteste Teil ist der im 13. Jh. errichtete *Nordbau,* er besteht aus zwei Parallelhäusern, dem ältesten Rathaus und der Tuchhalle, die durch einen Hof getrennt waren. Beiden gemeinsam wurde jene gewaltige Fassade vorgelegt mit den drei achteckigen Türmen ('Riesen') und den 1425 hindurchgebrochenen großen, runden Windlöchern. Dieser Bau wurde 1345 zur Marienkirche hin verlängert und dort ebenfalls durch eine im-

ponierende Schauwand aus glasierten Ziegeln abgeschlossen. Der Wand an der Marktseite wurde 1570 ein 4 m tiefer Renaissancebau aus grauem Sandstein vorgelegt, mit sechsteiligem Laubengang und drei Giebeln. 1298–1308 baute man an der Ostseite in Glanzziegeln das *Lange Haus* an, auch 'Danzelhus' genannt, das auf schönen Laubengängen steht. An dieses schloß man 1442–44 einen prächtig ausgestatteten Flügelbau an, das sogenannte *Neue Gemach* (auch 'Kriegsstubenbau'), der 1942 ausbrannte, dann aber wiederhergestellt wurde. Er hat Arkaden und eine von bewimpelten Türmchen allseitig bekrönte, durchbrochene Schauwand. An der Breiten Straße zeigt das Rathaus am Kriegsstubenbau eine überdachte *Sandsteintreppe* in reichen Renaissanceformen (1594), am Langen Haus einen holzgeschnitzten *Erker* (Tönnies Evers d.J., 1586) und vor dem Haupteingang zwei *Bänke* ('Beischläge'), mit Bronzewangen (Sitzender Kaiser und Wilder Mann als Wappenträger; 1452). – Nach Norden gliedert sich ein 1483 begonnenes langes und niedriges *Kanzleigebäude* ('des Rades Scriverie') an; es hat einen schönen Arkadengang an der Westseite und schließt mit einem 1614 hinzugefügten niederländischen Schmuckgiebel ab. Der ganze Bau wurde 1887–1901 überarbeitet.

 Das I n n e r e ist 1887–91 einem völligen Umbau in spätgotischen Formen unterzogen worden (Eintr. s. S. 10). – ERDGESCHOSS. Durch den Haupteingang betritt man die *Vorhalle*. Rechts der *Audienzsaal*, in dem früher das 'Obergericht' des Rats abgehalten wurde und bis 1920 der Senat tagte. Er wurde 1745–60 im Rokokostil neu ausgestaltet (Malereien von Stefano Torelli aus Bologna), die geschnitzte Eingangstür stammt von Tönnies Evers d.Ä. (1573). – Von der Vorhalle führt ein Treppenhaus, mit Wandgemälden von M. Koch (1893; Lübeck huldigt Heinrich dem Löwen), in das OBERE STOCKWERK, wo 1891 der *Bürgerschaftssaal* eingebaut wurde (neugotische Ausstattung 1959 verändert und erneuert); oben Wandgemälde von Koch (r. Lübeck wird freie Reichsstadt unter Kaiser Friedrich II. 1226, l. Einzug Kaiser Karls IV. in Lübeck 1375); im 'Roten Saal' ein Gemälde, Sieg der Lübecker über die Schweden bei Gotland 1564. Der berühmte 'Hansesaal' über dem Audienzsaal, in dem die Hansetage abgehalten wurden, ist 1817 zu Geschäftszimmern umgebaut worden. Die prächtige 'Kriegsstube' im Kriegsstubenbau, 1594–1612 von Tönnies Evers d.J. gearbeitet, ist 1942 ausgebrannt (Reste im St. Annen-Museum). Bemerkenswert ein 1920 von Schweden geschenktes kleines Bronzestandbild des Königs Gustav Wasa, der 1519–20 in Lübeck Schutz vor den Dänen fand.

 Der RATSKELLER (Eingang vom Markt), mit mächtigen spätromanischen und gotischen Gewölben und Pfeilern, wurde zuletzt 1934/35 wiederhergestellt. Im großen *Hansesaal* (r. vom Eingang) Gewölbe vom ersten Rathausbau (um 1220) und die Wappen der Hansestädte (1935). Der Admiralstisch in der Halle soll aus einer Planke des letzten lübischen Admiralschiffes gemacht worden sein (1565). Gegenüber dem Rathaus, Breite Straße 89, das *Café Niederegger.*

 Die ****Marienkirche** (Pl. C 4) ist der gewaltigste Ausdruck des Bau- und Tatwillens des Lübecker Stadtstaates und 'das erste Beispiel des ins Große gehenden städtischen Bauehrgeizes, der der deutschen Baukunst des späteren Mittelalters das Gepräge gibt' (Dehio). Der Bau, der 1250 begonnen und 1350 vollendet wurde, ist eine dreischiffige, querschifflose Pfeilerbasilika mit neun Jochen, Kreuzgewölben, Chorumgang mit eingezogenem Kapellenkranz, ausgebildetem Strebewerk und einem gewaltigen Turmpaar im Westen. Die mittlere Chorkapelle wurde 1440 verlängert. An die ungewöhnlich breiten Seitenschiffe wurden im 14. Jh. zahlreiche Kapellen angebaut. Bei dem Bombenangriff von 1942 brannte die Kirche aus, ist aber nun wiederhergestellt.

BAUGESCHICHTE Das Werden von St. Marien spiegelt ein Stück Stadtgeschichte wider. Nach der zweiten Stadtgründung 1159 baute man bald anstelle der ersten Holzkirche eine romanische Kirche

von bedeutenden Ausmaßen, die indessen den Ansprüchen bald nicht mehr genügte, so daß man sie nach 1251 umkonstruierte und den gegenwärtigen Bau begann. Das Bestreben, den gleichzeitig entstehenden Dom des Bischofs zu überbieten, trieb den Rat zu außerordentlichen Plänen. Da man in der Längenausdehnung (St. Marien 104 m, Dom 129 m) durch die Grundstückslage beschränkt war, strebte man in die Breiten (St. Marien 58 m, Dom 36 m) und in die Höhe (Schiff 38,5 m gegen 30 m, Türme 126 m gegen 103 m). Den ursprünglichen Gedanken, eine eintürmige 'westfälische' Hallenkirche zu bauen, gab man während des Baues zugunsten der aus Flandern (Brügge, Gent) bekannt gewordenen französischen Kathedrale auf, die Basilika mit Chorumgang und Kapellenkranz und eine Doppelturmfassade vorsah. Auch löste man sich von den Formen der Hausteingotik auf dem Weg vom Chor zu Schiff und Türmen immer mehr und entwickelte die herbe und schlichte, aber auch überaus klare und großflächige Backsteingotik. Die im Jahre 1310 begonnenen Türme haben romanische Formgesetze beibehalten und sind durch achtseitige Helme (1350; erneuert) − gewaltige, grün schillernde Nadeln − abgeschlossen. Diese haben mit 60 m fast die gleiche Länge wie der Schaft mit 61 m. Bänder mit Vierpaßblenden und verzierte Dreiecksgiebel bilden den Schmuck. Infolge ungleicher Senkung der Fundamente streben die Türme oben etwas auseinander. − Die Marienkirche wurde das Vorbild für mehr als 100 Kirchen im ganzen Ostseegebiet, so für Wismar, Doberan, Rostock, Stralsund, Lüneburg, Schwerin, Riga, Reval, Dorpat. In den folgenden Jahrhunderten wetteiferten die Patrizier in ihren Stiftungen, so daß ihre Stadtkirche prächtig ausgestattet war mit Altären, Skulpturen, Malereien, Grabplatten und Gedenktafeln. Der Brandkatastrophe von 1942 fiel fast die gesamte wertvolle Ausstattung zum Opfer, darunter der hervorragende Lettner, der berühmte Totentanz und die astronomische

Uhr, deren Reste im St. Annen-Museum zu sehen sind. Mit großer Tatkraft, aber auch mit finanzieller Unterstützung des In- und Auslandes, ist man an die Wiederherstellung herangegangen. 1957 waren die überaus schwierigen Sicherungsarbeiten, die Erneuerungen der einzelnen Gewölbe und des Daches und die Restaurierung im Innern im wesentlichen beendet. Die Turmhelme wurden in alter Form und Höhe wieder aufgebaut und mit Kupfer gedeckt. Das Glockenspiel, das heute wieder halbstündlich vom Südturm erklingt, ist aus Glocken der Danziger Katharinenkirche zusammengestellt, die in der Hamburger Glockensammelstelle aufbewahrt waren. 1980 erhielt die Kirche auch wieder ihren früheren Dachreiter.

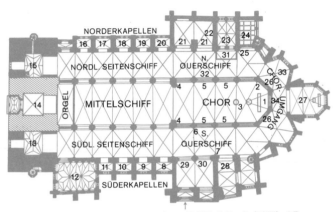

1 Altarmensa (1959), 2 Sakramentshaus (1479), 3 Taufe (1337), 4 Roman. Vierungspfeiler (13. Jh.), 5 Triforiengalerie mit Malereien, 6 Lettner-Rest (2. H. 14. Jh.), 7 Johannes-Bildsäule (um 1510), 8–11 Süderkapellen (14. Jh.), 12 Briefkapelle (1310), 13 Gedenkkapelle, 14 Paramentenkammer, 15 Greveradenkapelle, 16–20 Norderkapellen (14. Jh.), 21 Totentanzkapellen, 22 Astronomische Uhr (1969), 23 Gerwekammer, 24 Gallinkapelle (1365; Sakristei), 25 Epitaph Winckler (1707), 26 Kalksteinreliefs (um 1500), 27 Sängerkapelle (um 1444), 28 Bürgermeisterkapelle und Trese (1298), 29 Südervorhalle, 30 Tesdorpf-Kapelle, 31 Kleine Orgel (1970), 32 Grab D. Buxtehude (†1707); 33 Abendmahl (1697), 34 Kreuzigungsgruppe (1697).

I n n e r e s (Zugang von der südlichen Vorhalle; Aufbauspende wird erwartet). Den besten Überblick hat man vom westlichen Ende des Mittelschiffs. Die alten *Malereien* im Langhaus und im Chor, die übertüncht waren, sind erst nach dem Brande sichtbar geworden. Sie sind z.T. restauriert; die willkürlichen Ergänzungen des Malers Malskat im oberen Chorumgang, die s.Z. erhebliches Aufsehen erregten, sind wieder beseitigt worden. Erneuert wurde auch die Triforiengalerie mit Maßwerkbrüstungen über den östlichen Langhausarkaden. In den Schlußsteinen der Gewölbe Wappen und Namen großer Kirchen der Ostgebiete.

ALTARRAUM. Der *Hochaltar* (1) besteht aus einer schlichten Steinmensa, über der ein vergoldetes Kruzifixus hängt (1959; G. Marcks). Das gotische *Sakramentshaus* (2) ist 9,5 m hoch und besteht aus rd. 1000 Einzelteilen aus vergoldeter Bronze (1479). Die *Taufe* (3) ist ein reich geschmücktes Bronzebecken, das auf drei knieenden Engeln ruht (1337; H. Apengeter). Links das Epitaph v. Hövelen (†1609), bemalter Sandstein um ein Alabasterrelief. An den romanischen *Vierungspfeilern* (4) Malereien 'Thronender Weltenrichter' und Christophorus (um 1350).

SÜDL. SEITEN- UND QUERSCHIFF. Rest vom zerstörten *Lettner* (6) von 1377, den Benedikt Dreyer 1508 mit Figuren geschmückt hatte an einem Pfeiler die *Bildsäule des Evangelisten Johannes* (7), lebensgroß geschnitzt, am Mantelsaum drei Bibelstellen (um 1510; H. v. d. Heide). In der *Warendorpkapelle* (8) das Marmorgrabmal des Bürgermeisters Peters, von L. Ohnmacht (1794–97). Besonders groß und schön ist die 1310 angebaute *Briefkapelle* (12), deren zierliche Sterngewölbe von schlanken Säulen aus Bornholmer Granit getragen werden. Darin das Gemälde 'Schiffbruch' von Hans Ben (1489). An der Kapellenwand zwei gemalte Fenster mit *Fabelbildern* in Rundmedaillons (15. Jh.).

TURMWERK. Die frühere Schinkelkapelle ist zu einer *Gedenkkapelle* (13) ausgestaltet. Hier gedenken die Flüchtlinge ihrer in der unerreichbaren Heimat ruhenden Toten. Die zwei Glocken liegen noch so da, wie sie in der Brandnacht 1942 herabgestürzt sind. – Die frühere Bergenfahrerkapelle ist jetzt *Paramentenkammer* (14) für die aus St. Marien in Danzig stammenden liturgischen Gewänder. – In der *Greveradenkapelle* (15) wurde ein Triumphkreuz (1430) aus Vadstena in Schweden aufgestellt. – Auf einer neuen Westempore die *Große Orgel* (31), 1968 von der Firma Kemper erbaut. Sie ist nach den Orgeln in Passau und Mainz die größte in Deutschland. Unterhalb der Orgel das Farbfenster Auferstehung' v. Stockhausen.

NÖRDLICHES SEITEN- UND QUERSCHIFF. An das Seitenschiff sind die fünf sog. *Norderkapellen* (16–20) angebaut. In den *Totentanzkapellen* (21), am Querhaus, wurden 1956 eindrucksvolle Totentanzfenster von Alfred Mahlau eingebaut, die den zerstörten *Totentanzfries* von 1463 ersetzen. Hier wurde auch 1969 die neue Astronomische Uhr aufgestellt: Angehörige verschiedener Rassen und Berufe wandern um den Herrn (12 Uhr). Sie ersetzt die zerstörte Uhr von 1566. – Über der gewölbten *Gerwekammer* (23) die neue Totentanzorgel (urspr. 1548), 1955 von Kemper erbaut. Die 'Beweinung Christi' (1841/46) ist ein Hauptwerk des Lübecker Nazareners Fr. Overbeck.

Ein typisch spätgotisches Werk ist die Messinggrabplatte des Ehepaares Hutterock, ein Alterswerk von Bernt Notke (1508/09): die Toten harren der Auferstehung wie in den Puppen die Schmetterlinge. − Anschließend die 1365 erbaute *Gallinkapelle* (24), jetzt Sakristei. Davor das *Epitaph Winckler* (25), ein bewegtes Marmorwerk der Barockzeit von Th. Quellinus (1707).

CHORUMGANG. An den Chorschranken je zwei *Kalksteinreliefs* (26) von 1498, nördlich Passahfest (die kleine schwarze Maus unten links ist ein Lübecker Wahrzeichen) und Fußwaschung, südlich Gethsemane und Gefangennahme. Ferner hier das Abendmahl (33) und die Kreuzigungsgruppe (34) vom *Fredenhagenaltar*, dem früheren Hochaltar von Th. Quellinus 1697. In der *Sängerkapelle* (27) im Chorhaupt ein *Altarschrein mit geschnitzten und gemalten Szenen aus dem Marienleben, Antwerpener Arbeit von 1518. Die kleine Bronzetaufe ist der Nachguß der 1611 in Lübeck gegossenen Taufe der Marienkirche in Ystad (Schweden), gestiftet vom Rotaryclub Ystad. − In der Bürgermeisterkapelle (28) reich geschnitztes gotisches Gestühl (Mitte 15. Jh.). Darüber, kenntlich an den vergitterten Fenstern, die *Trese* (1298), die einstige Schatzkammer des Rates. − In der *Südervorhalle* (29) die schöne Bronzegrabplatte für den Kaufherrn Godhard Wigerinck (†1518) und seine vier Frauen, Erzguß von Peter Vischer.

Nordwestlich von St. Marien, nach dem ursprünglichen Hafen zu, liegt das älteste GROSSKAUFMANNS-VIERTEL (Pl. C 3, 4), das im Krieg leider stark gelitten hat. Am oberen Ende der M e n g s t r a ß e (Nr. 4) hat man hinter der erhalten gebliebenen Fassade des durch Thomas Mann berühmten *Buddenbrookhauses* von 1758 ein Bankgebäude errichtet. Das Haus gehörte von 1841−91 der Familie des Dichters; im Treppenhaus ein Bronzerelief Thomas Manns (1957; von H. Pagels) und die Nobelpreisurkunde (1929). Mengstraße Nr. 48/50 steht neben anderen alten Bürgerhäusern das *Schabbelhaus* (Pl. C 4), dessen altbekannte Gaststätte (S. 9) 1956 mit stilgerechter Einrichtung wiedereröffnet wurde. Mengstraße 66, Ecke Untertrave, das Stammhaus der alteingesessenen Weinhandlung *Testorpf* von 1678 mit Renaissanceportal.

Die B r e i t e S t r a ß e ist die Hauptgeschäftsstraße der Stadt. Ecke Engelsgrube eine *Gedenksäule* an den Dichter Thomas Mann. An ihrem Nordende (Nr. 6/8) liegt das **Haus der Kaufmannschaft** (Pl. D 3), heute Sitz der *Industrie- und Handelskammer*, mit schönen Innenräumen. Der prunkvollste Innenraum Lübecks ist das 1889 hierher übertragene *Fredenhagen-Zimmer*, dessen prächtige Kassettendecke und kunstvolle Wandtäfelung 1573−83 von Hans Dreger geschnitzt wurden. Getäfeltes *Sitzungszimmer* von 1610. Besichtigung nach vorheriger Anmeldung bei der Kaufmannschaft zu Lübeck, Mengstraße 25 (Tel. 70 55 50), möglich.

Das ***Haus der Schiffergesellschaft** (Pl. D 3) hat einen Treppengiebel von 1535 und hohe Beischlagwangen. Es war und ist heute noch das Versammlungshaus der Schiffer. Das Innere (Restaurant), eine große Diele, gibt ein anschauliches Bild alter Kompaniehäuser. Aus der Erbauungszeit stammen noch die 'Gelage', schmale Tische zwischen Bänken mit hohen Rücklehnen. Die Bankwangen ('Dokken') sind mit geschnitzten Wappen verziert. Von der bemalten Balkendecke hängen Schiffsmodelle und Bronzeleuchter herab.

Der dreieckige Platz Koberg (Pl. D 3; eigentlich 'Kaufberg'), an dem Jakobikirche und Heiliggeist-Hospital liegen, war der alte Grenzplatz zwischen Kaufmannsstadt und Burgbezirk.

Die ***St. Jakobi-Kirche** (Pl. D 3), am Koberg, ist eine dreischiffige gotische Hallenkirche aus dem 13. und 14. Jh. mit schönem Turm, kräftig gestaltetem Chor und zierlichem Dachreiter, der 1622 erneuert wurde. Sie blieb 1942 unbeschädigt und ist 1964/65 völlig renoviert worden. Der Turm (108 m) ist nicht zugänglich. – Die Kirche wurde zuerst im 12. Jh. als romanische Hallenkirche errichtet, nach dem Stadtbrand von 1276 in gotischen Formen zunächst als Basilika, dann als Hallenkirche mit erhöhtem Mittelschiff 1334 zu Ende geführt. Das zweitürmige Westwerk kam nicht zur Ausführung, statt dessen wurde ein St. Marien ähnlicher Turm aufgesetzt, der 1636 um ein Geschoß erhöht und 1658 durch einen schönen, von vier eleganten Kugeln eingefaßten Helm abgeschlossen wurde.

Das I n n e r e ist reich ausgestattet. An den Pfeilern haben sich (z.T. restauriert) *Wandgemälde* des 14. Jahrhunderts erhalten: die Dreieinigkeit und Heilige in großen edlen Gestalten. Der *Altar* ist ein bewegtes Barockwerk von 1717 mit Grablegungsgruppe. Auf einem Turm rechts vom Altar eine geschnitzte große Uhr (1784). Die *Kanzel* wurde 1698 geschnitzt. Die schöne *Bronzetaufe* von 1466 wird von drei Engeln getragen und ist mit Apostelfiguren geschmückt; prächtig ist der einem Rundtempel gleichende Deckel, der 1630 von H. Sextra gearbeitet wurde. Die dem Eingang gegenüberliegenden Seitenkapellen haben schöne hölzerne *Schranken* von ca. 1400; vor der rechten zwei *Lichterbäume* (1470). – Der *Brömbse-Altar* in der südlichen Seitenkapelle ist der einzige hier noch vorhandene Altar aus dem Mittelalter. Er ist ein Flügelaltar vom Anfang des 16. Jh. mit großem Steinrelief der Kreuztagung, Kreuzigung und Auferstehung in e i n e r Szene; auf den Flügeln vortreffliche Bildnisse des Stifters, des Bürgermeisters Brömbse mit seiner von Heiligen beschützten Familie. An der Wand gegenüber das schöne Epitaph Brömbse mit bemaltem Stammbaum. – Die große **Orgel* ist ein prunkvolles Werk der Spätgotik (1504), durch Seitentürme und Vorbauten im 16. und 17. Jh. bereichert. Die *Empore* darunter erhielt ihren Bildschmuck mit Heiligen um 1470; die reichgeschnitzte Wendeltreppe mit Tür wurde nach 1844 vom abgerissenen Lettner hierher verlegt. – Die *kleine Orgel* mit Maßwerkbrüstung ist schon 1467 erwähnt; das Rückpositiv stammt von 1637. Das Werk ist eines der wenigen, die in der ursprünglichen Disposition des 16. Jh. erhalten sind, und eignet sich besonders zur Wiedergabe vorbachscher Orgelmusik (Abend-musiken). Neben dem Altar der stattliche *Spangenbergstuhl*, eine Schnitzar-beit mit Vergoldungen, von 1576. Schöne Kronleuchter und zahlreiche Epita-phien und Gemälde. Die nördliche *Turmkapelle* dieser einstigen Schifferkir-che ist Gedächtnisstätte für auf See gebliebene Seeleute. Hier wurde auch zum Gedenken an die 80 Seeleute, die beim Untergang des Segelschulschiffs 'Pa-mir' am 21. 9. 1957 umkamen, das Wrack eines der beiden aufgefundenen Ret-tungsboote aufgestellt.

Das ***Heiligengeist-Hospital** (Pl. D 3), Ko-berg 9, wurde 1285−90 vom Rat der Stadt er-baut und gehört zu den ältesten und am besten erhaltenen in Deutschland. Der Überlieferung nach wurde das Hospital von dem in Riga reich gewordenen Lübecker Kaufmann Bertram Morneweg "Dem Besten der Kranken und Ar-men" gestiftet. Alte und minderbemittelte Leute konnten sich hier für eine geringe Sum-me einkaufen und waren an eine Ordensregel

gebunden. Leitung und Krankenpflege lag in Händen des Ordens vom Heiligen Geist. Seit seinem Entstehen ist es Altersheim. Anfang der 70er Jahre wurde der Gesamtkomplex im Innern modernisiert, wobei das *Lange Haus* (s.u.) in seiner ursprünglichen Bauform erhalten blieb. Da es den heutigen Anforderungen nicht mehr genügte, wurde es 1968 geschlossen; der Kirchenraum blieb jedoch zugänglich.

Die gotische EINGANGSHALLE ist ein breiter, dreischiffiger, ganz kurzer Hallenbau. Ihre *Fassade* hat drei Giebel, zwischen denen vier schlanke achteckige Türmchen ('Riesen') aufragen. Dieser Bau, bei dessen Fassadengestaltung die Bürgerhausgiebel und die Rathaustürme Vorbild waren, diente zugleich als Eingangshalle und Kapelle. Die weitgespannten Seitenschiffe haben Kreuzgewölbe, das Mittelschiff erhielt 1495 Sterngewölbe. Der *Lettner* über den einstigen Altären und den Eingängen zum Hospital ruht auf sechs Säulen. Er ist mit Heiligenfiguren und Malereien geschmückt und trägt einen hölzernen Singechor mit 25 Bildern aus der Elisabethlegende (1. H. 15. Jh.). Vortreffliche *Wandmalereien* vom Anfang des 14. Jh., die bedeutendsten Lübecks aus mittelalterlicher Zeit, haben sich erhalten: an der Nordwand rechts Medaillons mit den Stifterporträts, links eine Marienkrönung. Drei *Altarschreine,* vorzügliche Schnitzwerke der Spätgotik, befinden sich aus Sicherheitsgründen z.Zt. im St. Annen-Museum. – Das LANGE HAUS hinter der Eingangshalle enthielt die Wohnungen der Hospitalinsassen. In der 14 m breiten, 88 m langen Halle mit offenem Dachstuhl (1608 verlängert und 1825 erneuert) liegen an zwei Gängen die niedrigen, erst 1820 eingebauten ehem. 145 *Wohnkojen* (2 x 2 m), rechts für Männer, links für Frauen. Bis dahin standen die Betten frei im Raum, so daß die Kranken dem Gottesdienst am Saalende folgen konnten. 1940 aufgedeckte *Wandmalereien* aus der Erbauungszeit: an der Eingangswand eine *Kreuzgruppe,* an den Seitenwänden der *hl. Christophorus* und *König Ludwig der Fromme von Frankreich.* – Durch ein Gitter, das den Raum von der Eingangshalle trennt, kann man die alte Anlage gut übersehen. Eine eingerichtete Koje, in die man durch ein Fenster hineinblicken kann, zeigt, wie beengt die Insassen hier früher gelebt haben. – Die übrigen Hospitalräume liegen auf der Nordseite um einen *Kreuzgang* und kehren dem Koberg zwei Wohnhäuser zu, deren gotische Giebel zu den ältesten der Stadt zählen. – Hinter dem Heiligengeisthospital befinden sich hübsche Anlagen, die *Bürgergärten,* die sich bis zum Behnhaus (s.u.) hinziehen, und an seiner Südseite ein kleiner Platz mit einem Bronzesitzbild des in Lübeck geborenen Dichters *Emanuel Geibel* (1889, von H. Volz).

Vom Koberg gelangt man in die G r o ß e B u r g s t r a ß e , deren Abschluß das **Burgtor** (Pl. E 2) bildet. Dieses sicherte im Norden der Stadt den einzigen natürlichen Zugang und zeigt mit seinen noch erhaltenen turmbewehrten Mauerstücken ein prächtig geschlossenes Bild mittelalterlicher Befestigung. Das Tor selbst in seiner heutigen Gestalt wurde 1444 von Nikolaus Peck erbaut und ist ein viereckiger Turmbau, dessen fünf Stockwerke durch engstehende Blenden und Lichtschächte gegliedert und durch glasierte Maßwerkfriese gegeneinander abgegrenzt sind. Schwarze und rote Ziegel sind dabei im Wechsel verwendet. Die geschweifte 'welsche' Haube trat erst 1685 anstelle eines hohen Spitzdaches. – Zu beiden Seiten des Tores läuft noch ein Stück der alten *Stadtmauer* von 1320 mit je zwei Turmpaaren, die halbrund und z. T. ausgebaut sind. Neben dem Tor auf der Stadtseite r. das ehemalige *Zöllnerhaus* von 1571. Den Terrakottafries mit lübischen und mecklenburgischen Wappen schuf *Statius von Düren*. Die Stadt bot es als Ehrensitz der Schriftstellerin *Ida Boy-Edan,* die es von 1912 bis 1928 bewohnte (Gedenktafel). Heute

dient es als Künstlerwerkstatt (Handweberei, Geigenbauerei). – Links vom Tor steht ein Haus mit Staffelgiebel und Wehrgang, ein Überrest vom Marstallgebäude der Burg, das im Mittelalter unter dem Namen 'Junkerturm' als Gefängnis benutzt wurde, 'um störrische Söhne vornehmer Bürger' zahm zu machen. Über dem Hoftor zum ehem. Burggelände ein Fachwerkbau mit originell geschnitzter Schwelle (Masken und Musikantenfiguren des 16. Jh.). – Die *Burg,* von der fast nichts mehr erhalten ist, spielte nur in der Zeit der Gründung als wendische Wallburg und später als dänische Zwingburg eine Rolle, wurde jedoch mit der Erhebung Lübecks zur Reichsstadt überflüssig und wich einem 1227 gestifteten Burgkloster der Dominikaner, dessen Hauptteile in das ehemalige *Gerichtsgebäude* von 1894 (heute Versorgungsamt) einbezogen wurden. Die Klostertrakte mit ansehnlichen gotischen Architekturteilen (Kreuzgang, Refektorium, Kapitelsaal u. a.) sollen einmal ein Museum für Stadtgeschichte aufnehmen. Schöner Blick auf die Wehranlagen des Tores von der *Burgtorbrücke,* die über den Klughafen führt; die beiden Löwen an ihrem Nordende sind Werke von *Fritz Behn,* in der kleinen Anlage dahinter eine Plastik von *M. Geiser* 'Jugend'. Neben der Burgtorbrücke führen zwei altertümliche Hubbrücken, je eine für Schiene und Straße, in das Hafengebiet.

Beim Rückweg durch die Gr. Burgstraße passiert man wieder das Heiligengeist-Hospital und erreicht die K ö n i g s t r a ß e , die parallel zur Breiten Straße verläuft als zweite Verbindung vom Burgtor zum Domviertel.

Am Haus Königsstraße 9 (Pl. D 3) eine Gedenktafel für den Schwedenkönig Gustaf Wasa, dem 1519/20 hier der Bürgermeister Nikolaus Brömse auf der Flucht vor den Dänen Schutz gewährte. Es bestand im 16. Jh. aus zwei Häusern, deren Giebel in der 1. Hälfte des 19. Jh. zu einer Fassade mit horizontalem Abschluß zusammengezogen wurden. Viele prominente Lübecker Familien wohnten darin. Als **Drägerhaus** bildet es seit 1981 mit dem Behnhaus (Nr. 11) einen Museumskomplex.

Das **Behnhaus** (Pl. D 3) ist ein schönes frühklassizistisches Patrizierhaus, das 1777 begonnen, 1778 der Ratsherr Peter Hinrich Testorpf kaufte, der mit dem inneren Ausbau J.C. Lillie betraute. Mit seinen großen Ausmaßen, der rein repräsentativen Diele, den prächtig dekorierten Zimmern und dem horizontalen Dachabschluß mit aufgesetzten Figuren hat es sich weit von der alten ökonomisch-praktischen Kaufmannsbauweise des Lübecker Bürgerhauses entfernt. Von 1823–1921 war es im Besitz der Familie Behn, seitdem gehört es der Stadt, die es aus Bürgerspenden erwarb.

Die Sammlungen im Behnhaus zeigen die Kunst des 19. und 20. Jh. nicht in Art einer Gemäldegalerie. Sie ist eingefügt in die originalausgestatteten Räume, die die Kulturgeschichte des vornehmen Lübecks im späten 18. u. 19. Jh. repräsentieren.

Wir nennen einige Kunstwerke: die Frühwerke *Overbecks*, des Hauptes der Nazarener (geb. 1789 in Lübeck, gest. 1869 in Rom), vor allem ein Hauptwerk, das Familienbild von 1820, ferner Romantiker (*C.D. Friedrich, F. Wasman, F. Oliviers* u.a.). Die Gemälde des Norwegers *E. Munch* (Die Söhne des Dr. Linde, 1903), von *E. L. Kirchner* (Eisenbahn und Straßenbahn, 1914), *M. Liebermann* (Bildnis Dr. Max Linde, 1897), *L. Corinth* (Tochter Wilhelmine, 1924), *O. Kokoschka* (Jakobikirche in Lübeck, 1958). Von den Lübecker Künstlern nennen wir den später in Dresden lebenden *G. Kuehl* (1850–1915, Lübecker Waisenhaus, 1894) und *A. Aereboe* (1889–1970, Selbstbildnis und Rote Jacke, beide 1924). Eine bemerkenswerte Neuerwerbung (1982) ist das surrealistische Gemälde "Lob der gelegentlichen Unvernunft" von *B. Heisig* (DDR). Die Sammlung wird ergänzt durch Plastiken, von denen einige im Garten stehen (*Kolbe, Sintenis*), und Kunsthandwerk. Die historischen Räume im Stil der 1. Hälfte des 19. Jh. befinden sich im Gartenflügel.

In das **Dräger-Haus** gelangt man durch das Behn-Haus. Die Festsäle im Erdgeschoß des Gartenflügels (Vorsaal, Kohpeis-Saal und Landschaftszimmer) stammen aus dem 18. Jahrhundert. Im Obergeschoß wird die Kulturgeschichte der 2. Hälfte des 19. Jh. gezeigt (bürgerliche Repräsentation, Wohnkultur, Mode u.a.). Die Vorderräume nehmen die Bilder der Romantiker und Nazarener auf. Neben dem später als Restaurator bedeutenden *Carl Julius Milde* (1803–1875) und *Theodor Rebenitz* (1791–1861) ist hier vor allem *Overbeck* vertreten, u.a. sein

Selbstbildnis von 1808 und mehrere Cartons mit biblischen Motiven. Hier hängen zwei Gemälde vom Lübecker Markt vom fast gleichen Standpunkt aus gesehen, von *C. Springer* (1817–1891) bei Tag (1870) und von *L. Mecklenburg* bei Mondschein (1866). Ein Bild zeigt das Innere der Marienkirche um 1856 von *W. Stoeltzner* (1817–1868). In weiteren Räumen wird der Lübecker Dichter *E. Geibel* ("Der Mai ist gekommen"), der Brüder *Thomas und Heinrich Mann* und der mit diesen verbundenen Dichterin *Ida Boy-Ed* in Briefen, Manuskripten, Fotos, Urkunden u.a. gedacht. Alle in Lübeck vorhandenen Dokumentation über die Brüder Mann ist hier zusammengefaßt. Direktor: Dr. Wulf Schadendorf.

Im Garten hinter dem Behnhaus hat die OVERBECK-GESELLSCHAFT ihren Sitz, die seit ihrer Gründung 1918 jährlich 7–10 Ausstellungen meist zeitgenössischer Kunst veranstaltet.

Im Haus Königstraße 12 starb *Emanuel Geibel* 1884, Haus Nr. 18 ist die Reformierte Kirche, ein schlichter klassizistischer Bau.

Man gelangt nun in das HANDWERKERVIERTEL (Pl. D 4) des alten Lübeck, dessen Straßen die Ostseite der Altstadt bis zum Fluß hinunter einnahmen. Charakteristisch ist die Glockengießerstraße (Pl. F 3) mit ihren 'Stiftshöfen', die von reichen Bürgern in den stillen Höfen hinter den Verkehrsstraßen eingerichtet wurden, um alten Schiffer- und Kaufmannswitwen Wohnraum zu geben. Nr. 25 (Torbogen mit Stifterwappen) ist der **Füchtingshof** von 1639, in dem zwei Zeilen roter Backsteinhäuschen stehen; am Ende das sehenswerte *Vorsteherzimmer* mit den Bildnissen des Ehepaars Füchting und einem schönen Kachelofen. Man läute bei Frau Bergner. – Auf derselben Straßenseite ist das *Illhorn-Stift* (Nr. 39) von 1438 und daneben der *Glandorps-Gang* (Nr. 41) mit sehr kleinen Buden; *Glandorps Hof* (Nr. 49) hat zwei Reihen völlig gleicher Häuschen von 1612. – Sehenswert ist auch der *Haasen-Hof* (1725), Dr. Julius Leber-Str. 37/39. Im Hause Glockengießerstraße 91/93 hat der Sohn des Clowns *Charlie Rivel* ein Restaurant-Museum eingerichtet mit vielen Erinnerungen an seinen Vater (tgl. ab 18 Uhr geöffnet).

Die turmlose ***Katharinenkirche** (Pl. D 4) des 1225 gegründeten Franziskanerklosters ist eines der edelsten Werke der Hochgotik (14. Jh.). Das Kloster wurde 1531 nach der Reformation zur Gelehrtenschule und im 19. Jh. zum Gymnasium und Realgymnasium Katharineum umgebaut. Ein Teil der Klostergebäude und der Kreuzgang sind in den Schulenbau und in die dahinter gelegene Stadtbibliothek einbezogen worden.

Die Kirche ist eine lange hohe Pfeilerbasilika mit zweischiffigem Querhaus, mächtig über den zum Wasser abfallenden Straßen aufragend und besitzt wie alle Bettelordenskirchen nur einen Dachreiter. Der Sims des fünfseitigen Chorabschlusses trägt einen Zinnenkranz. Die *Westfassade* ist außergewöhnlich prächtig gehalten mit Lagen aus roten und schwarzen Glanzziegeln. Über dem Untergeschoß mit Portal und Wandnischen befinden sich zwei hohe schmale Fenster, die von Nischenreihen und Blenden eingerahmt sind. In drei Nischen stehen seit 1947 *Figuren von Ernst Barlach:* Frau im Wind, Bettler mit Krücken und Singender Klosterschüler. Sie wurden 1931/32 als erste Figuren einer geplanten 'Gemeinschaft der Heiligen' geschaffen und 1949, einem Wunsche Barlachs zufolge, durch sechs *Figuren von Gerhard Marcks* ergänzt: Schmerzensmann, Brandstifter, Jungfrau, Mutter und Kind, Kassandra, Prophet. Zwischen 1806 und 1945 war St. Katharinen säkularisiert und diente als Museum. Nach der Kriegszerstörung der Lübecker Kirchen wurden hier wieder Gottesdienste gehalten; eine Chorkapelle dient der griechisch-orthodoxen Gemeinde, die Kirche auch als Museum.

INNERES. Im hohen Kirchenraum hat man die originale Farbgebung des 14. Jh. wieder freigelegt. Das nördliche Seitenschiff wird wegen des asymmetrischen Grundstückes nach Westen hin schmäler. Im LANGHAUS ein großes, reich verziertes *Triumphkreuz* (um 1450) und die *Kanzel* aus der alten St. Lorenzkirche. Die *St. Jürgen-Gruppe*, eine Gipskopie (1926) des berühmten Werkes, das Bernt Notke 1489 für die Hauptkirche in Stockholm geschaffen hat, ferner Gipsabgüsse kirchlicher Kunstwerke außerhalb Lübecks u.a. der Abguß eines Schnitzaltars aus Mildstedt bei Husum (um 1450) an der Nordwand, daneben der Grabstein des Kirchenmusikers und Organisten *J. A. Reincken* (†1722). An das südliche Seitenschiff sind vier *Grabkapellen* angebaut, meist mit Ausstattung aus dem 18. Jahrhundert. An der Fassadenwand des südl. Seitenschiffes ein schönes Bild von *Tintoretto* * Auferweckung des Lazarus (1576) in skurrilem Rahmen. – Der Chor ist ungewöhnlicherweise zweistöckig, der Oberchor durch eine spätgotische Brüstung vom Schiff abgeschlossen; daran eine Uhr (1597), flankiert von je drei Tafelbildern (17. Jh.). Der UNTERCHOR ist eine dreischiffige Halle, deren Gewölbe von schlanken Kalksteinsäulen getragen wird. Beachtenswert hier die in Messing gravierte *Grabplatte des Bischofs Lüneburg* (†1461).

Der OBERCHOR hat spitzbogige Kreuzgewölbe und einen Fußboden aus unterschiedlich geformten farbigen Backsteinplatten. Am äußeren Treppenaufgang ein Wandbild zur Franziskuslegende (16. Jh.), an der Nordwand das Bild dreier in der Kirche beigesetzter Ordensbischöfe (um 1370). Das interessante frühgotische *Chorgestühl* steht hier erst seit 1829.

Die STADTBIBLIOTHEK (Hundestraße 9–19), z.T. in Räumen des Katharinenklosters, hat ihren einst reichen Besitz an Handschriften und Wiegendrucken durch Auslagerung verloren. Ihr heutiger Bücherbestand beträgt 370 000 Bände. Das Eckhaus Königstraße/Dr. Julius-Leberstraße (Löwenapotheke) besitzt einen prächtigen doppelten Staffelgiebel, das Haus Königstraße 81 eine besonders reichverzierte Rokokofassade. Weiter südlich wird die Königstraße von der Wahmstraße und Ägidienstraße gekreuzt, die zur Ägidienkirche führen. Die W a h m s t r a ß e (Pl. D 5), die alte Wagenmannstraße der Fuhrleute, besitzt noch eine Gruppe mit Terrakotten geschmückter Giebelhäuser (einst Brauhäuser) und in Nr. 54 und 56 Beispiele gelungener Wiederherstellung zerstörter Häuser. Auch hier sind auf der linken Straßenseite im *Bruskow-Gang* (Nr. 49) und *v. Hövelen-Gang* (Nr. 75) zwei einfachere Stiftshöfe erhalten. Durch Nr. 46 führt ein stiller Gang zur Ägidienkirche.

St. Ägidien (Pl. D 5), auf einem ruhigen Platz gelegen, ist eine dreischiffige Halle mit erhöhtem Mittelschiff, Seitenkapellen und hohem quadratischem Turm. Die einschiffige Anlage des 13. Jh. bekam durch Erweiterung und Verlängerung im 14. und 15. Jh. ihre heutige Gestalt. Der 1840 überarbeitete Turm ist denen von St. Marien ähnlich. Der Raum hat auffällig schmale und niedrige Seitenschiffe. Er war einst reich bemalt, wovon noch vier bedeutende figürliche Darstellungen des 16. Jh. an der Choroberwand erhalten sind. Der 1587 eingebaute *Lettner* ist ein vortreffliches Schnitzwerk von Tönnies Evers d.J., das auf beiden Seiten Apostelstandbilder und biblische Gemälde zeigt. Feine Wendeltreppe. – Der *Altar* wurde 1701, die *Kanzel* 1702 gearbeitet. Ein höchst reizvolles Werk ist die *Taufe,* ihr von drei Engeln getragenes Becken ist von 1453, Deckel und Gitter wurden 1710 hinzugefügt. Die große *Orgel* ist ein eindrucksvoller geschlossener Aufbau der Barockzeit (1620), am Fundament mit reicher Einlegearbeit und Wappenschnitzereien verziert. Zahlreiche Epitaphien, Grabsteine und Pastorenbilder.

Das ***St. Annen-Museum** (Pl. D 6; Eintr. s. S. 10) in den schönen Räumen des St. Annen-Klosters ist eine reiche und vorzüglich aufgestellte Sammlung zur Kunst- und Kulturgeschichte der Stadt Lübeck von ihren Anfängen bis Ende des 18. Jahrhunderts. Die Schätze kamen aus Stiftungen Lübecker Bürger und aus Lübecker Kirchen zum größten Teil schon im vorigen Jahrhundert zusammen und wurden 1910–15 hier vereinigt. Die schönsten Werke stammen aus dem späten Mittelalter, Lübecks künstlerischer Glanzzeit. Direktor: Dr. Wulf Schadendorf. Verwaltung: Düvekenstr. 21.

ST. ANNEN-MUSEUM

Erdgeschoss

EHEM. KLOSTERKIRCHE

1 Vorraum
W.C.
14 Kirchensilber
13
12 v. d. Heide — Dreyer
KAPITELSAAL

15 Beischläge

→ Zunftsaal

2 Kirchl. Kunst d. 14./15. Jh.

Erdgeschoss

8 Flügelaltäre u. Bildwerke c. 1470-1520

9 Flügelaltäre und Bildwerke c. 1470-1520

TAGERSRAUM

10 — 11 Kirchliche Textilien

4 Kirchliche Kunst d. 14/15. Jh.

WOHNUNG DER PRIORIN

3 Rom. Fig.

5 Kirchl. Kunst

6 d. 14./15. Jh.

7 Memlingaltar

PFORTE

REFEKTORIEN

WÄRMERAUM

Obergeschoss

22   22a   23   24   25   1

21

20

19

Obergeschoss

5

2

3

6

4   Kunstgewerbe

18   17   14   13   12   9   8   7

16   15   11   10

Spielzeug, Musikinstrumente

1 Burgdiele; 2-4 Einrichtungen d. 16. Jh.; 5 Ofen- u. Baukeramik; 6 Diele; 7-14 Einrichtungen des 16./17. Jh.; 11,15 Niederl. Malerei d. 17. Jh. u. Möbel d. 18. Jh.; 16 Landschaftszimmer; 17 Ledertapetenzimmer; 18, 20 Einrichtungen d. 18. Jh,; 19 Porzellan, Fayence; 21 Gartenzimmer um 1800; 22 Kleinkunst; 22a-25 Räume für Ausstellungen;

Das ST. ANNEN-KLOSTER selbst, St. Annen-Straße 15/17, ist 1502−15 als Augustiner-Nonnenkloster in spätgotischen Formen erbaut worden. Von der 1843 abgebrannten Kirche ist nur der untere Teil der Westfassade mit seinen Hausteinportalen und Treppentürmchen erhalten geblieben. Das Kloster, das nach der Reformation als Armen-, Werk- und Zuchthaus diente, wurde 1910 zum Museum umgebaut. Der rechteckige Kreuzgang, der zweischiffige Tagesraum, der Kapitelsaal und zwei Refektorien sind unversehrt erhalten und dienen als Schauräume für die kirchlichen Kunstwerke des Mittelalters. Im Oberstock sind Räume aus alten Lübecker Häusern eingebaut, die ein Bild der Lübecker Wohnkultur vom Mittelalter bis zum Biedermeier geben.

ERDGESCHOSS: Die außerordentlich reiche Sammlung m i t t e l a l -
t e r l i c h e r K u n s t zeigt fast alle Schätze, die aus Lübecks Kirchen auf uns gekommen sind, soweit sie nicht in diesen selbst stehen. Eindrucksvoll neben einer Reihe von Steinfiguren aus dem Anfang des 15. Jh. (kluge und törichte Jungfrauen, Niendorfer Madonna, Raum 4 bis 6) die große Zahl mittelalterlicher Altäre; sie gingen aus Werkstätten hervor, die das ganze Ostseegebiet belieferten. Im späten Mittelalter wirkten in der Stadt mehrere Meister von europäischem Rang: 1. *Hermen Rode* (ca. 1435−1505), in Lübeck gebürtig, war der führende Meister der Tafelmalerei nach 1450. Sein für die Lukasbrüderschaft der Maler 1484 gemalter Altar befindet sich im Raum 9; 2. Der Maler und Bildschnitzer *Bernt Notke* (ca. 1440−1509), in Lassan in Vorpommern geboren. Er war der Schöpfer der berühmten St. Jürgen-Gruppe in Stockholm (Kopie in St. Katharinen) und des Triumphkreuzes im Lübecker Dom; von ihm die zwei Altarflügel vom Johannisaltar der Schonenfahrer (1475) in Raum 9; 3. Der Bildschnitzer *Henning von der Heide* (ca. 1460−1521), von dem sich hier ein Fronleichnamsaltar (Raum 9), ein Vesperbild (Raum 13) und sein Hauptwerk, eine großartig-schlichte St. Jürgen-Gruppe (Raum 12) befinden; 4. *Benedikt Dreyer,* der Meister stark bewegter und dabei inniger Schnitzwerke. Sein Antoniusaltar aus der Burgkirche steht im Raum 12; 5. *Claus Berg* (1475−1535?), ein Meister des großen pathetischen Stiles, der 1504 an den Hof der dänischen Königin ging. Im Raum 8 seine Madonna aus dem Heiligengeist-Hospital (um 1500). Bemerkenswert auch der Grönauer Altar (um 1430) in Raum 15 und vor allem der Passionsaltar aus dem Dom, ein Spätwerk von *Hans Memling* (1491). In Saal 2 Reste der astron. Uhr aus St. Marien. Im rückwärtigen Gebäudetrakt der Zunftsaal.

OBERGESCHOSS: Nach der Renaissancezeit traten in Lübeck der Meister des Terrakottaschmucks *Statius von Düren* (Raum 5) und der

Schnitzer *Tönnies Evers* (Reste der Vertäfelung aus der Kriegsstube im Rathaus (vgl. S. 23, Raum 10) hervor. In der Barockzeit wirkte in der Hansestadt der niederländische Bildhauer *Thomas Quellinus* (Raum 14). Die Fredenhagenporträts im gleichen Raum schuf der Lübecker *Gottfried Kniller,* der es in London zum Hofmaler Sir Godfrey Kneller (1646—1723) brachte. Bemerkenswert sind eine große **Lübecker Diele* von 1736 (Raum 6), Öfen und Fayencen der Stockelsdorfer Manufaktur (Raum 18—19), die Sammlung alter *Musikinstrumente,* die z.T. auf das Orchester Buxtehudes zurückgeht und die *Spielzeugsammlung.*

Zwischen dem Museum und dem Krähenteich steht in der Straße A n d e r M a u e r (D 6) noch eine städtebaulich wirkungsvolle Baugruppe: ein halbrunder Mauerturm des 13. Jh., an den sich drei kleine Fachwerkhäuser des 17. Jh. anlehnen.

Am Südende der Altstadt liegt der *D o m b e z i r k .* In ihn führen die Gasse 'Fegefeuer' und die 'Parade'. An dieser die kath. *Propsteikirche* mit markantem Turm und das 'Rantzauschloß' von 1858, dessen gotischer Hofgiebel noch von der früheren Domkurie stammt. Anstelle der Domherrenhöfe stehen heute Schulen und andere öffentliche Gebäude um den lindenbestandenen Dom-Kirchhof. Hier seit 1976 auf steinernem Sockel ein Abguß des *Braunschweiger Löwen* zur Erinnerung an die Stadtgründung durch Heinrich den Löwen 1159. Nördlich vor den Domtürmen steht das ehemalige *Zeughaus,* ein langgestreckter Bau in holländischem Renaissancestil (1594).

Der ****Dom** (Pl. D 6) war der erste große Kirchenbau der Deutschen an der Ostsee. Heinrich der Löwe hatte ihn 1173 gegründet und sein Bau, eine gewölbte Pfeilerbasilika mit Querschiff und zwei mächtigen Türmen, war 1226 vollendet. Er ähnelte Heinrichs Braunschweiger Dom. Bereits 1266 begann der Umbau in eine dreischiffige gotische Hallenkirche mit Seitenkapellen zwischen den Strebepfeilern und einem reichen Hallenchor mit Umgang und Kapellenkranz nach französisch-flandrischem Vorbild. Das roman. Querschiff blieb dabei unverändert. 1329 war der Umbau vollendet. 1942 wurde der Dom von Bomben schwer beschädigt, doch gelang es mit erheblichen Geldmitteln den Wiederaufbau der Türme (1958/60) und des Langhauses bis 1970 zu vollenden. Die 1946 durch den zusammenbrechenden Giebel zerstörte Vorhalle 'Paradies' wurde 1982 wiederhergestellt. Der große gotische Chor erhielt neue Gewölbe und ist durch eine Glaswand vom Langhaus getrennt.

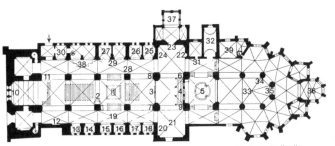

1 Altarmensa, 1970
2 Kanzel, 1568
3 **Triumphkreuz, 1477
4 Lettner, 1477
5 Bronzetaufe, 1455
6 Mühlenknechte-Altar, 1460
7 Tageszeiten-Altar, um 1420
8 Stecknitzfahrer-Altar, 1422
9 Einhorn-Altar, 1506
10 Westfenster von Quinte, 1963
11 Frühgotische Löwin, um 1335
12 Bischof Tydemann, +1561
13 von Lente-Kapelle, 1706

14 v. Gusmann-Kapelle, 1706
15 v. Wedderkop-Kapelle, 1748
16 v. Bassewitz-Kapelle, 1721
17 Warendorp-Kapelle
18 Brömbsen-Kapelle
19 Böttcherkerze, 2.H. 16. Jh.
20 Schöne Madonna, 1509
21 Kronleuchter, 1661
22 Madonna aus Stuck, um 1460
23 Hl. Christophorus, 1665
24 Bischof v. Cremon, +1376
25 v. Focke-Kapelle
26 Domdechanten-Kapelle

27 Greveraden-Kapelle
28 Marienrelief, 1459
29 Müllerkrone, 1.H. 15. Jh.
30 Lichthaltender Engel, 15. Jh.
31 Klage Jesu Christi, 17. Jh.
32 Fürstbischöfl. Mausoleum
33 Bischof Bocholt, +1341
34 Lesepult, um 1530
35 Antoniustafel 1503
36 Fürstbischof Aug. Friedrich
                                        + 1705
37 Paradies
38 Orgel
39 von Serken, von Mul

INNERES. Die moderne *Altarmensa* (1) steht im Zentrum des Langhauses. Die *Kanzel* (2) von 1568 ist aus Sandstein, ruht auf einer Mo-
sesfigur, trägt sieben Alabasterreliefs und ist von einem kunstvollen
Gitter umgeben. Ein Kunstwerk von höchstem Range ist die figuren-
reiche **Triumphkreuzgruppe* (3) des Bernt Notke (1477) mit Evange-
listensymbolen an den Kreuzenden und durchbrochenem Schnitzwerk; die Figuren sind Maria, Johannes, Magdalena, Stifterbischof,
Adam und Eva. Der spätgotische *Lettner* (4) ist dreijochig, trägt eine
hölzerne Bühne von 1477 für den Singechor und eine große Uhr von
1628, beides prächtige Schnitzarbeiten. In der neugestalteten Taufka-
pelle dahinter steht die *Taufe* (5), ein Bronzekessel von 1455, der von
Apostelfiguren umgeben auf drei Engeln ruht. Die *Seitenkapellen* des
Mittelalters wurden im 17./18. Jh. in Grabkapellen für Patrizierfami-
lien umgewandelt; sie haben schönes Gitterwerk. Hervorzuheben auf
der Nordseite die Kapelle *v. Focke* (25) von 1730, auf der Südseite die
Kapellen *v. Bassewitz* (16) von 1721, *v. Wedderkop* (15) von 1748, *v.
Gusmann* (14) von 1738 und *v. Lente* (13), die 1706 Thomas Quellinus
ausgestattet hat. Das große dreiteilige *Fenster* (10) im Westwerk ist eine abstrakte Farbkomposition von *L. Quinte* (1963). Die mittelalterlichen Altäre (6, 7, 8, 9) sind bis auf den Memling-Altar aus dem St. Annen-Museum zurückgekehrt und stehen an ihren alten Plätzen. Neu ist

die Orgel (38) im nördlichen Seitenschiff. Im Chor bemerkenswert die Antoniustafel von 1503 (35), die Bronzegrabmale der Bischöfe *Bocholt* von 1341 (33) und *v. Serken* und *v. Mul* (39) sowie das Grabmal für Fürstbischof *August Friedrich*(†1705) und seiner Gemahlin *Christina* (1698) von Thomas Quellinus (36).

Das **Naturhistorische Museum,** Mühlendamm 8 (Pl. C 7, Eintr. s. S. 10), wurde 1962 in einem Neubau an der Stelle des zerstörten Dommuseums eröffnet. Es zeigt Flora und Fauna sowie Sammlungen zur Geologie, Mineralogie und Paläontologie in Schleswig-Holstein. Im 1. Geschoß sieht man Säugetiere, Sing- und Wasservögel, Eulen und hört Naturlaute hierzu. In Dioramen werden typische Landschaftsformen dargestellt. Das 2. Geschoß ist den Greifvögeln, Fischen, Meeressäugetieren, Amphibien, Insekten und wirbellosen Tieren gewidmet. Bemerkenswert ein großes Storchendiorama und ein Stock, in dem man lebende Bienen bei ihrer Arbeit beobachten kann. Im 3. Geschoß wird die erdgeschichtliche Entwicklung des schleswig-holsteinischen Raumes an Schautafeln, Dioramen, Gesteinen, Mineralien und Fossilien gezeigt. Direktor Dr. Manfred Diehl. − Im Erdgeschoß das *Museum am Dom,* das Sonderausstellungen des Amtes für Kultur dient.

Das **Stadtarchiv,** Mühlendamm 1−3, das schon 1298 nachweisbar ist, verwaltet die Akten und Urkunden der früheren Freien und Hansestadt Lübeck und der deutschen Hanse. Ein großer und besonders wertvoller Teil ist jedoch aus der DDR noch nicht zurückgekehrt. Ferner befindet sich hier die *Städtische Münzsammlung.* In einem Ausstellungsraum werden Schaustücke gezeigt. Eintritt s. S. 11.

An der Obertrave entlang führt ein hübscher Weg zurück zum Holstentor. In den meist '-grube' benannten Nebenstraßen sind noch sehenswerte alte Häuser erhalten. Die GR. PETERSGRUBE (C 5) ist auf der Südseite noch ganz mit einer Reihe von 14 Bürgerhäusern in den Stilarten vom 14. bis 19. Jahrhundert bebaut; beachtenswert sind die Rokokohäuser 21 und 23. Seit 1982 befindet sich hier die *Musikhochschule.*

Im Süden und Südwesten der Altstadt bieten die im 19. Jahrhundert geschaffenen WALLANLAGEN hübsche Spazierwege. Der frühere Wakenitzlauf ist hier vor seiner ehemaligen Mündung in die Trave zum *Krähenteich* aufgestaut, an dem die große Stadthalle liegt, und zum *Mühlenteich,* südlich dessen sich das *Kaisertor* (1497) der alten Stadtbefestigung erhalten hat. Die Wipperbrücke führt von dort hinüber zur *Freilichtbühne* (Pl. B 7) und zum *Stadion Buniamshof,* beide in die südlichsten Wallanlagen eingebettet.

Vorstädte und Vororte

Die ST. LORENZ-VORSTADT (Pl. A 1, 2) im Westen beginnt an der Puppenbrücke und zieht sich bis zur Autobahn hin. Auf dem St. Lorenz-Kirchhof, hinter dem Hauptbahnhof, noch alte Grabsteine. St. Lorenz-Nord, durch das die Bundesstraßen nach Segeberg und Schwartau führen, hat mehrere Industriewerke (Orenstein & Koppel) und den Schlachthof). An der Wickedestraße steht die 1952 von Emil Steffann erbaute kath. St. Bonifaz-Kirche, deren langer überwölbter Rechteckbau im Osten durch eine freistehende schalenförmige und lichtumrahmte Wand abgeschlossen ist, ein in Linien- und Lichtführung überzeugender Kirchenraum. In der Siedlung Dornbreite die 1960 geweihte ev. Paul-Gerhard-Kirche, mit 32 m hohem Holzturm, erbaut von G. und D. Langmaack. Ihr Grundriß ist ein Ellipsensegment mit angebauten Seitenräumen; die Ostwand schwingt nach innen, so daß der Altar in den Kirchenraum vortritt; eine leichte Empore umzieht den Raum.

Die ST. JÜRGEN-VORSTADT (Pl. F 7, 8) liegt im Südosten zwischen der Wakenitz und dem Elbe-Lübeck-Kanal. Sie ist über die Mühlenbrücke (Pl. D 6, 7) zu erreichen, die zum Mühlentorplatz (Pl. E 7) führt. Hier wurde 1940 ein Luftschutzbunker in den Formen eines alten Stadttorturmes aufgebaut. In den südlichen Anlagen am Wasser das große Gebäude der Landesversicherungsanstalt. An der Ratzeburger Allee steht noch die kleine, 1645 neu erbaute St. Jürgenkapelle, auf deren Friedhof bekannte Männer ruhen, darunter der Baumeister J. Chr. Lillie (†1827, s. S. 50).

Etwa 7 km südlich der St. Jürgen-Vorstadt liegt beim Dorf Blankensee der Flughafen Blankensee (Flughafenrestaurant, Hotel Roland, 18 B., Stadtbus 8 über St. Hubertus). Der Flugplatz ist im ersten Weltkrieg angelegt worden und hat u.a. bei der Berliner Blockade als Versorgungsstützpunkt gute Dienste geleistet. Heute ist er Verkehrsflughafen mit Lehrgängen zur Pilotenausbildung. Rundflüge über Lübeck und Umgebung sind möglich nach Anmeldung unter Tel. 5 22 02.

Nach KRUMMESSE, 10 km vom Zentrum (Stadtbus 14). Das Dorf Krummesse liegt am Elbe-Lübeck-Kanal. Es hat eine Backsteinkirche des 13. Jh. mit quadratischem Chor und einem zweischiffigen Langhaus, dessen Gewölbe auf zwei Pfeilern mit rot-weißem Ziegelmuster ruhen. Wandmalereien aus der Erbauungszeit sind erhalten. Der Altar (1717) ist barock, die aus Eichenholz geschnitzte Kanzel von Anfang des 17. Jh., das vergoldete Antependium von 1931 (A. Blaue). Gute Kreuzgruppe, feine kleine Orgel des 17. Jahrhunderts.

Die ST. GERTRUD-VORSTADT (Pl. F 1) liegt im Norden zwischen Burgtor und dem Lauer Holz, einem großen Stadtwald, an der Bundesstraße 75 nach Travemünde. Vom Burgtor führt die mit zwei Löwen geschmückte Burgtorbrücke in diese Vorstadt. Unweit östlich von ihr liegt der Stadtpark, mit zwei Seen und der 1910 erbauten St.

Gertrud-Kirche an seiner Ostseite. An der Travemünder Allee links in einem Eichenwald der *Ehrenfriedhof* für die Gefallenen der beiden Weltkriege und die Opfer der Bombenangriffe. Gedenksteine für die Gefallenen, die fern der Heimat ruhen. Anlage durch den Gartenarchitekten Harry Maaß. Er gliederte ihn in eine Folge von drei Ehrenhainen mit Grabtafeln und setzte an die Waldwege einzelne, vielfach große Findlingsblöcke als Grabmäler. Das Ehrenmal schuf Fritz Behn. − In der Roeckstraße, gegenüber der Krügerstraße, das *Kleverschußkreuz*, ein steinernes Radkreuz, das 1436 als Wegweiser an einem Pilgerweg gestiftet wurde.

Etwa 9 km nordöstlich von Lübeck liegt der Fischer- und Industrieort **Schlutup,** der eine Landspitze zwischen zwei seenartigen Verbreiterungen der Trave einnimmt (Stadtbus 3 und 12). Ein bequemer Wanderweg, $1^1/_2$ St., führt von St. Gertrud durch das *Lauerholz,* einen Mischwald, der sich von St. Gertrud bis Schlutup erstreckt und das größte Waldgebiet Lübecks ist. Etwas abseits des Weges das kleine, aber reizvolle *Deepenmoor.* Schlutup, ursprünglich ein Fischerdorf an der Schlutuper Wiek, hat einen Fischereihafen und Fischräuchereien; ferner neben mehreren neu angesiedelten Industriebetrieben ein Holzimprägnierwerk für Leitungsmasten und Eisenbahnschwellen. 800 m östlich des Ortes verläuft die Grenze. In der Nähe des Schlagbaumes ein Mahnstein: 'Slut up' (Schließ auf). Hier befindet sich ein offizieller Grenzübergang nach Mecklenburg (Omnibus der Stadtwerke mehrmals tgl. von der Bushaltestelle Schlutup Markt zum DDR-Kontrollpunkt Selmsdorf für den kleinen Grenzverkehr). − Von Schlutup an verläuft die DDR-Grenze parallel zum rechten Ufer der Trave, dabei auch um deren seenartige Ausbuchtungen, den weit nach Mecklenburg hineinragenden Dassower See und die Pötenitzer Wiek, herumführend, bis zum Priwall in Travemünde. Ein schmaler Uferstreifen von 5−10 Meter ist dabei, auf ganzer Länge durchgehend, noch Lübecker Stadtgebiet; doch ist von einer Begehung abzuraten. − Auf dem nördlichen Ufer der Trave, gegenüber von Schlutup, liegt **Herrenwyk** (Stadtbus 2), einst Standort des großen, 1906 gegründeten *Hochofenwerks* Lübeck, zuletzt *Metallhüttenwerke Lübeck,* das aber 1982 wegen Unwirtschaftlichkeit stillgelegt werden mußte. Es befinden sich hier noch die ausgedehnten Anlagen der *Flenderwerft.*

Westlich von Schlutup führt die B 75 auf einer Klappbrücke über die Trave in den Stadtteil *Kücknitz* und weiter nach Travemünde. Nördlich der B 75 liegt Israelsdorf, ein schon im frühen 19. Jh. wegen seiner Kaffeegärten und Buchenwälder beliebtes Ausflugsziel. Nahe der Travemünder Allee (B 75) ein kleiner Tierpark (Eintr. s. S. 11). Ein malerisches Bild bietet der Dorfteich mit der reetgedeckten alten Kate. − Nordöstlich von Israelsdorf liegt etwas versteckt das kleine, schon 1502 erwähnte Fischerdorf **Gothmund** mit einem Hafen, eine idyllische Reihe von reetgedeckten Fischerhäusern an einem einzigen, nur von Fußgängern benutzbaren Sträßchen (Hotel-Rest. Fischerklause; Stadtbus 12 über Israelsdorf).

Südlich der Vorstadt St. Gertrud liegt am Ostufer der Wakenitz der Vorort MARLI mit zwei großen Kasernenanlagen, der Justizvollzugsanstalt Lauerhof und der neuen Kirche *St. Philippus* mit eiförmiger Turmspitze an der Schlutuper Straße (1957). An ihn schließt sich südöstlich der Vorort EICHHOLZ an. Hier bemerkenswert die *St. Chri stophoruskirche* von 1954 an der Schäferstraße. Längs der Wakenitz zwischen Marli und Eichholz führt ein hübscher Spazierweg.

Bad Schwartau, eine Stadt von 19.500 Einwohnern im Landkreis Ostholstein, 6 km nördlich von Lübeck, ist beliebter Wohnvorort unweit der Mündung der windungsreichen Schwartau in die Trave und von schönen Laubwäldern umgeben. Seit Entdeckung einer 3,5 %igen Solequelle im Jahre 1895 hat es sich zu einem Jodsol- und Moorheilbad entwickelt. Es wurde 1913 als Heilbad anerkannt. Nordöstlich vom Markt liegt das 1978 errichtete Kurzentrum mit dem Kurmittelhaus; hier werden wie auch im Elisabeth-Kurbad Behandlungen durchgeführt. Rund um den Schwartauer See breiten sich Kuranlagen aus. In der Musikmuschel spielt das Kurorchester. – Bekannt sind die Marmeladen- und Zuckerwaren der Schwartauer Werke. (Verkehrsverbindungen: Bahnhof Bad Schwartau an der Strecke nach Kiel und Schwartau-Waldhalle an der nach Travemünde; Stadtbus von Lübeck 1, 9, 10 und 20). – 3 km nordwestlich liegt der Pariner Berg (72 m) mit Gaststätte und der Bismarcksäule, die einen schönen Blick bis zur Ostsee und nach Lübeck bietet (Stadtbus 20).

Vom Bahnhof Waldhalle führt ein Fußweg (1 km) an einem toten Travearm hin zum Burgwall **Alt-Lübeck,** einer etwa 5 m hohen Erhebung auf einer schmalen Landzunge zwischen Trave und Schwartau. Hier stand bis zu seiner Zerstörung 1138 der wendische Fürstensitz Liubice mit einer Handwerkersiedlung (Gedenkstein). Grabungsfunde im Holstentormuseum.

Travemünde

Auskunft: *Kurverwaltung* und *Zimmernachweis* Strandpromenade 1b beim Hotel Maritim (Tel. 0 45 02-8 43 64). – KURTAXE pro Tag und Person DM 3,– (1982). Weitere Familienmitglieder haben Ermäßigung. Außerhalb der Sommerperiode (1. 5.–15.9.) starke Ermäßigungen.

Hotels. Travemünde hat etwa 2000 Hotelbetten und rd. 5000 Betten in Privathäusern. Die Zahlen hinter dem Hotelnamen bezeichnen die Preisklasse (1982): *Hotel* ^{1} = über DM 80, *Hotel* ^{2} = ab DM 40, *Hotel* ^{3} = ab DM 28 für ein Einzelzimmer incl. Frühstück.

Maritim^1, An der Strandpromenade (T. 40 01), 500 B. mit Hallenbad, Congreß-Center und Terrassenrestaurant im 35. Stock.

Kurhaus-Hotel ^{1}, Außenallee 10 (T. 8 11), 170 B. mit Hallenbad.

Atlantik ^{2}, Kaiserallee 2a (T. 34 36 u. 53 00), 70 B.

Camino^2, Kaiserallee 29 (T. 21 47), 14 B.

Golf-Hotel ^{2}, Helldahl 12–14 (T. 40 41), 100 B. mit Schwimmbad und Café-Restaurant.

Seestern^2, Bertlingstr. 1 (T. 50 50), 55 B.

Sonnenklause^2, Kaiserallee 21–25 (T. 27 30 u. 21 38), 40 B. mit Café.

Charlott ^{3}, Kaiserallee 5 (T. 60 15), 51 B.

Meeresblick ^{3}, Kaiserallee 35a (T. 28 77), 80 B.

Parkhotel ^{3}, Godewind 7 (T. 60 00 u. 23 47), 70 B.

Seeblick ^{3} (garni), Kaiserallee 31a (T. 26 18), 70 B.

Seegarten^3, Kaiserallee 11-13 (T. 7 17 77 u. 53 33), 30 B.; mit Hallenbad und Café.

Daheim^3, (garni) Kaiserallee 35 (T. 60 00), 32 B.

Im Altstadtbereich:

Deutscher Kaiser^2, Vorderreihe 52 (T. 50 28), 95 B. mit Dachgartenschwimmbad, Landungsbrückengarten und Weinrestaurant "La Cave".

Stadt Hamburg^3, Vorderreihe 60 (T. 21 08), 23 B.

CAMPINGPLÄTZE: *Priwall*, Kurverwaltung (T. 8 43 69), Katt (T. 28 35) und Howold (T. 22 34); ferner an der Ivendorfer Landstraße (T. 26 67). Jugendherberge auf dem Priwall, 120 B.

Restaurants in den größeren der genannten Hotels, ferner im Kurviertel: *Casino-Restaurant*, Kaiserallee 2, mit Terrasse und Garten. Hier findet das Kurkonzert statt; *"bei Knoop"*, Strandpromenade, *Up'n Knust*, Trelleborgallee 2, *Marco Polo*, Fischrest., Kaiserallee 26; *Parkrestaurant*, Parkallee 3; *Dolomiti*, ital., Kaiserallee 1; *Strandrestaurant* im Strandbahnhof; *Strandperle*, Strandpromenade. In Alt-Travemünde: *Lord Nelson*, *Lütt Hus*, *Wiener Wald*, *Pesel*, *Oller Kotten*, *Zur Sonne*, alle Vorderreihe Nr. 56, 52, 24, 22/23a, 13 und 6; *Peerstall*, Kurgartenstraße 90. Ferner außerhalb des Ortes: *Skandinavia* am Skandinavienkai; *Hermannshöhe*, am Brodtener Steilufer. – Cafés: *Niederegger*, *Haase*, *Steinhusen*, alle Vorderreihe Nr. 56, 47 und 15.

Verkehr. BUNDESBAHN von Lübeck mit den Bahnhöfen *Travemünde Hafen* für Alt-Travemünde, Hafen und Priwall und *Bf Travemünde Strand* für das Kurgebiet; Hst. *Skandinavienkai* für den Fährschiffterminal. Durchgehende Eilzüge nach Hamburg. − OMNIBUSSE der Lübeck-Travemünder Verkehrsgesellschaft (LVG) nach Lübeck und Timmendorfer Strand. − Schiffsverkehr ab Skandinavienkai und Travemünde Hafen s. S. 46.

Kureinrichtungen. *Kurmittelabteilung,* warme Seebäder, Unterwassermassagen, Massagen, Inhalationen, hydroelektr. Bäder, Meerwasserbrandungsbad im Strandbad-Centrum. − *FKK-Strand* am Priwall und an der Brodtener Steilküste. − *Kurstrand* von der Nordermole bis zum Grünstrand; *Freistrand* vom Grünstrand bis zur Badeanstalt Mövenstein an der Steilküste im Norden; *Priwallstrand* für Wochenendbesucher, Campinggäste, Jugend.

Unterhaltung: tgl. *Kurkonzerte* im Sommer. − Im SPIELCASINO ganzjährig Roulette, Baccara, Punto Banco und Black Jack. − Veranstaltungen aller Art im Kursaal, Kurhaus, Hotel Maritim und Casino.

Sport. Angeln (Angelkarten); Sportfischerfahrten auf die Ostsee, Bootsfahrten mit Motor- und Segelbooten, Tretboote, Windsurfen, Wasserski; ferner Golf, Minigolf, Reiten, Tennis und Radfahren.

Alljährliche Veranstaltungen sind: Pfingst-Hockey-Turnier, Bridge-Turnier, Golf-Wettspiele, Tennis-Turnier, Tanz-Turnier. − Seit 1889 findet alljährlich die *Travemünder Woche* statt, eine der großen internationalen Segelregatten.

Travemünde, an der engen Mündung der Trave im innersten Winkel der Lübecker Bucht gelegen, ist das wohl eleganteste und abwechslungsreichste deutsche Ostseebad. Der Ort besteht aus dem älteren Stadtteil Travemünde-*Stadt* und dem Kurviertel Travemünde-*Strand,* das 1802 als drittes deutsches Seebad nach Heiligendamm und Norderney gegründet wurde.

Dazu kommt die Halbinsel *Priwall,* die durch zwei Travefähren mit dem Ort verbunden ist. Travemünde wird 1219 zuerst erwähnt, ging 1329 nach hundertjährigem Streit mit den Holsteiner Grafen durch Kauf endgültig in Lübecks Besitz über, das es 1913 eingemeindete. Die alte Bedeutung als Vorhafen Lübecks ging um 1890 verloren, als die Travekanalisierung den Lübecker Hafen auch für große Schiffe zugänglich machte; dafür ist Travemünde Ausgangspunkt für Fährschiffe nach Dänemark, Finnland und Südschweden geworden. Außerdem hat es einen Jachthafen und einen Fischereihafen, von dem aus Fischfang in der Lübecker Bucht und im Gebiet zwischen Fehmarnbelt und Bornholm betrieben wird, sowie zwei Schiffswerften. 13 000 Einwohner.

T r a v e m ü n d e - S t a d t hat noch hübsche alte Häuser, namentlich in der Vorderreihe, die sich am Hafen hinzieht, und in der dazu parallelen Kurgartenstraße. Am alten *Vogteihaus*, Vorderreihe 7, sind Hochwassermarken von 1872 und 1625 zu sehen. Zwischen Vorderreihe und Traveufer die *Autofähre* zum Priwall.

Die *Pfarrkirche St. Lorenz* ist ein spätgotischer Ziegelbau (geweiht 1557) mit großem Chor, hohem quadratischem Turm und einem achteckigen Spitzhelm, der 1620 vollendet wurde. Flache Holzdecke seit 1870. Der Barockaltar ist Lübecker Arbeit von 1723, die Kanzel um 1735 gearbeitet, der Kronleuchter 1660. An der Nordwand ein Kruzifix von 1470, das der Schiffer Lüdeke van Celle für seine Errettung aus Seenot stiftete. Schöne Epitaphien für Pastoren des 18. Jahrhunderts.

Am *Fischereihafen,* weiter westlich, befindet sich auf einem durch Baggersand aufgeschütteten Gelände eine Jachtwerft. Daran anschließend der 1962−64 erbaute *Skandinavienkai* für den Schiffsverkehr nach den nordischen Ländern, mit umfangreichen Abfertigungsanlagen (vgl. S. 12).

T r a v e m ü n d e - S t r a n d. Die Kuranlagen und Hotels nehmen die Landspitze zwischen der Travemündung und dem weit nach Norden ziehenden feinsandigen Strand ein.

Nachdem 1783 der Lübecker Arzt Walbaum zum erstenmal auf die Heilkraft des Meeres hingewiesen hatte, stellte 1799 ein Travemünder Gastwirt die ersten Badekarren auf, 1802 gründeten zehn Lübecker Bürger einen Verein, durch dessen Initiative Travemünde zum Seebad wurde, das schnell an Bedeutung gewann. In den Gästelisten finden sich die Namen von Eichendorff, der in seinem Tagebuch von 1805 eine begeisterte Schilderung seines Besuches gibt, Turgenjew, Dostojewski, Gogol, Clara Wieck, Munch, Geibel, Thomas und Heinrich Mann, Raabe, Wagner, Frenssen und anderen.

Die T r e l l e b o r g a l l e e führt über das 'Leuchtenfeld' zum ehem. *Leuchtturm* (35 m), einem runden Backsteinbau, der 1539 errichtet und 1827 in klassizistischen Formen wiederhergestellt wurde, doch strahlt das Leuchtfeuer jetzt vom Hotel Maritim. Nahebei das *Lotsenamt* und der *Yachthafen.* Die Travemündung ist seit 1836 durch die kurze *Südermole* und die später 250 m weit hinausgebaute *Nordermole* gesichert. Über die Trave führt hier im Sommer eine Personenfähre zum Priwall.

Durch das Kurviertel nach Norden führen die AUSSENALLEE und parallel dazu die PARKALLEE, deren Fortsetzung die lange KAISERALLEE ist, Standort der meisten Hotels. Neben dem *Kurhaus* von 1912 wurde 1961 der *Kursaal* gebaut für Tagungsräume. 1973 kam das große *Kongreßzentrum* mit dem 177 m hohen Hotel *Maritim* dazu.

Der *Kurpark* hat schöne Lindenalleen und reicht hinauf zu dem künst-
lich aufgeforsteten 'Calvarienberg'. Am Beginn der Kaiserallee steht
das international bekannte *Casino* mit Spielsälen, eleganten Restaurants, Bar und Nachtclub. Das ganze Ufer säumt die prächtige *Strandpromenade,* die sich von der Travemündung 1500 m weit nach Norden
bis zum *Brodtener Steilufer* hinzieht. An ihrem Anfang steht das
Strandbad-Centrum mit der Kurverwaltung, Meerwasserbrandungsbad, Außenschwimmbecken, Thermalbad, Sauna und weiteren Kur-
mitteleinrichtungen. Zwischen dem Hotel Maritim (die Auffahrt in
den 35. Stock kostet 2 DM) und dem Casino liegt der *Brügmann-Gar-
ten* mit einem Konzertpavillon.

Die Strandpromenade führt zunächst am Sandstrand vorbei, dann
am Grünstrand und endet an der *Mövenstein-Badeanstalt,* heute Zentrum der Windsurfer. Dahinter gibt es noch einen Frei- und einen
FKK-Strand. Auf dem bewaldeten Steilufer darüber das Restaurant
Seetempel und der große *Golfplatz.*

Das ***Brodtener Steilufer,** nach dem oben gelgenen Dorf *Brodten* so genannt, ist ein etwa 4 km langes, 18 m hohes Steilufer, das den vorspringenden
Küstenbogen zwischen Travemünde und Niendorf einnimmt. Durch die Ein-
wirkung der Brandung, mehr noch durch Grundwasserströme, bricht das Ufer
ständig stark ab; über 1000 m sind schon verlorengegangen. Die dabei zutage
tretenden eiszeitlichen Geschiebe zeigen Gesteine aus vielen Teilen Skandi-
naviens, darunter, mitunter auch Feuersteingeräte der mittleren Steinzeit.
Vom Seetempel (s.o.) führt ein aussichtsreicher Fußweg (2 1/2 km) dicht an der
Uferkante hin (links der Golfplatz) zur Gaststätte *Hermannshöhe. 2 km land-
einwärts von dieser liegt das Bauerndorf Brodten,* dessen alte Höfe um einen
Teich herum liegen. Von Hermannshöhe kann man weiter der Uferkante bis
Niendorf (3 km) folgen, dort Bus nach Travemünde.

Auf dem anderen Traveufer liegt die Halbinsel Priwall, die
sich als schmale Landzunge von Mecklenburg her vor die *Pötenitzer
Wiek* schiebt und dadurch die Travemündung abdrängt. Eine Wagen-
fähre und eine Personenfähre führen hinüber. Während Travemünde-
Strand für die Kurgäste bestimmt ist, verfügt der Priwall als 'Volks-
bad' über viele Einrichtungen für Wochenendgäste und für die Jugend. Vor dem ersten Krieg bestand auf dem Priwall eine Pferderenn-
bahn, in den 20er Jahren kamen zeitweise ein Wasserflughafen und
später eine U-Boot-Reparaturwerft hinzu. Der ehem. U-Boothafen
wurde 1960 zum *Passat-Hafen* mit 270 Bootsliegeplätzen ausgebaut. Hier liegt auch die Viermastbark **Passat,* die dem 'Deutsch-
Französischen Jugendwerk' während der Sommermonate als Unter-
kunft und Ausbildungsstätte dient.

Die *Passat* (34 Segel, 4100 qm Fläche) ist 1911 zusammen mit der
'Peking' von der Reederei F. Laeiz in Dienst gestellt worden und hat
als letztes Schiff dieser Art nach 50 Jahren Dienst eine Epoche der
Seefahrt abgeschlossen. Es lief als einer der berühmten 'Flying-P-Li-
ners' in der Chilefahrt, überdauerte den ersten Weltkrieg in Iquique

(Peru), wurde an Frankreich ausgeliefert und 1921 zurückgekauft. Im Krisenjahr 1931 an eine finnische Reederei verkauft und in der Australienfahrt eingesetzt, sollte das Schiff gemeinsam mit der 1957 untergegangenen 'Pamir' (vgl. S. 29) verschrottet werden, wurde aber zurückgekauft und bis 1957 in der Schulschiffahrt nach Südamerika verwendet. Seit 1960 liegt das Schiff in Travemünde vor Anker. Besichtigungszeiten von Mitte Mai bis Mitte September 9.30−12 und 14.30−17 Uhr.

Der Badestrand zieht sich 1,5 km nach Osten hin, wo er an der DDR-Grenze endet. Im Zentrum des Seeweges liegen *Strandhalle, Jugendherberge* und das *Haus des Kurgastes* mit Lesehalle (9−21 Uhr). Dahinter liegen Zeltplätze, eine Zelt-Jugendherberge, Wochenendhäuser. Weiter südlich an der *Pötenitzer Wiek* (Wasservögel) die *Lehrwerkstätten* der Handwerkskammer.

———————————

Ausflüge mit dem Auto

1. (106 km). In die holsteinische Schweiz

Man verläßt Lübeck durch das Burgtor und gelangt über die B 75 zunächst nach (19 km) Travemünde (s. S. 44). Vom Kurviertel dem Wegweiser Brodten folgend über *Brodten-Niendorf* nach (8 km) *Timmendorferstrand*, dem nächst Travemünde elegantesten Seebad der Lübecker Bucht. Schöner Sandstand, der durch einen schmalen Kiefernstreifen von der Strandallee getrennt ist, an der die meisten Hotels liegen. Weiter auf der Ostseebäderstraße über *Scharbeutz, Haffkrug* und *Sierksdorf* (Freizeitpark Hansaland) nach (15 km) **Neustadt/Holst.** mit einem Hafen, der *Stadtkirche* mit alter Ausstattung und dem *Kremper Tor*, einem der wenigen noch erhaltenen Stadttore Holsteins. Nach 3 km *Altenkrempe* mit stattlicher romanischer Basilika aus der Zeit der Kolonisation Ostholsteins im 12. Jh. Nahebei liegt *Hasselburg*, ein holsteinischer Herrensitz mit imposantem *Torhaus*. Man kommt nun in die **Holsteinische Schweiz.** 11 km *Schönwalde* mit *Feldsteinkirche* von 1238. In der Nähe der *Bungsberg* (168 m), die höchste Erhebung Schleswig-Holsteins, mit Fernmeldeturm der Bundespost (nicht zugänglich). Weiter in nordwestliche Richtung. In (7 km) *Kirchnüchel*, dem höchstgelegenen Kirchdorf des Landes, dessen Kirche im 13. Jh. Lübecker Benediktiner erbauten, links ab nach (5 km) *Sielbeck* am *Kellersee* (mehrere Gaststätten). Wenige Schritte sind es von hier zum sagenumwobenen **Ukleisee,** den man in 1 St. in Buchenwäldern umwandern kann. Am Ostufer des Kellersees entlang führt die Straße nach (5 km) **Eutin** zwischen *Großem* und *Kleinem Eutiner See.*

Gerold, der erste Bischof von Lübeck erhielt 1156 das Gebiet und gründete Bischofshof und Markt Eutin. Die Anlage um den rechteckigen Markt, an dessen Ecken die vier Hauptstraßen einmünden, geht auf diese Gründung zurück. 1257 erhielt Eutin lübisches Stadtrecht und führt seither als einzige Stadt Holsteins das Kreuz als Zeichen der bischöflichen Gründung im Wappen. Um 1300 wurde die Stadt Residenz der Bischöfe, später der Fürstbischöfe von Lübeck, deren Hofhaltung und Kultur der Stadt jahrelang das geistige Gepräge gab. Fürstbischof *Friedrich August* (von Gottorf) erhielt 1773 im russisch-dänischen Friedensvertrag das Herzogtum Oldenburg (bei Bremen), das dänisch gewesen war und vereinigte es nun mit dem Fürstbistum Lübeck.

Altertümlicher Marktplatz mit *Pfarrkirche St. Michael,* deren wuchtiger Turm das Stadtbild beherrscht, *Schloß* mit Schloßmuseum und Schloßpark, in dem auf einer Freilichtbühne die 'Eutiner Sommerspiele' stattfinden. Dazu gehört der 'Freischütz' des 1785 in Eutin geborenen Komponisten Carl Maria von Weber. – Von Eutin über (16 km) *Ahrensböck* nach (17 km) Lübeck.

2. In den Naturpark Lauenburgische Seen (87 km).

Man verläßt Lübeck in südlicher Richtung auf der B 207, der 'Alten Salzstraße'. Über *Gr. Grönau* (Kirche von ca. 1250 mit alter Ausstattung) und am Westufer des *Ratzeburger Sees* entlang (das Ostufer gehört bereits zur DDR) zur (24 km) Inselstadt **Ratzeburg,** der Hauptstadt des Kreises Herzogtum Lauenburg. Dämme verbinden sie mit beiden Seeufern und teilen den kleineren *Küchensee* vom großen 9 km langen *Ratzeburger See* ab (Motorbootverkehr). Im Norden der Altstadt auf der Domhalbinsel der 1154 von Heinrich dem Löwen gestiftete romanische *Dom* mit wuchtigem Turm und reicher Innenausstattung. An den Stifter erinnert seit 1881 ein Abguß des *Braunschweiger Löwen*.

Vom Stadtzentrum über den Damm in den östlichen Teil der Stadt, dann in südöstlicher Richtung in den wald- und seenreichen **Naturpark Lauenburgische Seen.** Über *Salem* gelangt man nach (11 km) *Seedorf* am *Schaalsee,* dem größten und landschaftlich schönsten der lauenburgischen Seen, der leider durch die Grenzziehung zur DDR in seiner Mitte geteilt und darum nur noch in seinem Westteil zugänglich ist. Hier Gelegenheit zu schönen Spaziergängen am Seeufer. Nun in südwestlicher Richtung über (5 km) *Hollenbek* nach (5 km) *Gudow* am Gudower See. Uralte *Feldsteinkirche* mit schönem Schnitzaltar, klassizistisches Herrenhaus des von Bülow'schen Gutes, 1826 von J. Chr. Lillie (s. S. 41) erbaut. Von Gudow in nördlicher Richtung über *Lehmrade* und zwischen *Drüsen-* und *Littauer See* hindurch zur (11 km) Eulenspiegelstadt **Mölln.** Die Altstadt liegt auf einer Halbinsel zwischen *Schul-* und *Kleinem Möllner See.* Hochgelegene *Kirche* aus dem 13. Jh. mit mächtigem gotischem Turm und dem Grabstein des hier 1350 gestorbenen Till Eulenspiegels an der Außenwand; davor der Eulenspiegelbrunnen. *Rathaus* von 1373 und *Fachwerkhäuser* des 16. und 17. Jahrhunderts. – Weiter auf die B 207, jedoch nach 2 km links ab auf landschaftlich schöner Nebenstraße über Berkenthin-Krummesse zurück nach (31 km) Lübeck.

Ausflüge mit dem Motorboot

Zum *Ratzeburger See* (s.o.), Abfahrt *Moltkebrücke* (Pl. jens. F 4; Stadtbus 5) in $1^1/_2$ Std. zum *Fährhaus Rothenhusen* am Nordufer des Ratzeburger Sees mit Zwischenstationen. Die Fahrt auf der anfangs breiten, später sehr schmalen Wakenitz ist sehr lohnend. Das Ostufer der Wakenitz ist DDR-Grenze. – Der Flußlauf der *Wakenitz* ist eine eiszeitliche Bildung. Da sie schon in vorgeschichtlicher Zeit wenig Gefälle hatte, bildete sich durch Ablagerung von Sinkstoffen

eine Starke Modderschicht (am Burgtor 8 m). Schon im 12./13. Jahrhundert wurden Staudämme gebaut und das Gefälle für Mühlen ausge-
nutzt, die Stauseen aber schützten die Stadt im Osten. Die untere Wakenitz ist heute in den Kanal geleitet. Da die Ufer des Flusses weithin
versumpft sind, finden sich hier fast keine Siedlungen. Auffallend sind
nur die alten Horst- und Budensiedlungen, die es einst den Fischern
ermöglichten, unabhängig von den Schließungszeiten der Stadttore an
ihren Fangplätzen zu sein. Diese Horste, vor einigen Jahrzehnten
noch weltfern, sind heute mit dem Auto erreichbar, und viele Lübek-
ker haben hier Wochenendhäuser. Als Verkehrsweg wird die Wakenitz nicht mehr benutzt; die breiten, viereckigen Prähme, die seit
Heinrichs des Löwen Zeit üblich waren, sind verschwunden, aber die
Wakenitz liefert immer noch, wie schon im 13. Jahrhundert, das
Trinkwasser für Lübeck (Neue Wasserkunst von 1867). Das Wakenitz-
gebiet ist reich an Pflanzen, Wasser- und anderen Vögeln, Insekten
und Fischen: Seerosen, gelbe Teichrosen, Wasserschierling, Schwert-
lilie, Kalmus, Calla, Knabenkraut; diverse Entenarten, Haubentau-
cher, Flußseeschwalben, Möwen, gelegentlich auch Fischreiher und
Eisvögel, Schlei, Brachsen, Barsch, Hecht, Ukelei, Rotauge, Wels,
Aalquappe, Aal. Von Rothenhusen kann die Fahrt mit einem anderen
Schiff über den See nach Ratzeburg (s. S. 50) fortgesetzt werden.

Ausflüge zur See

Vielfältig sind die Möglichkeiten, von Lübeck Ausflüge zur See zu
unternehmen. Bei längerem Aufenthalt ist eine Fahrt mit einer der
Ostseefähren für Halb-, Ganz- und Mehrtagesfahrten zu empfehlen.
Alle Schiffe bieten gute Verpflegung und zollfreie Waren (Spirituo-
sen, Tabakwaren, Kosmetika, Lebensmittel), die, wenn ausländische
Häfen angelaufen wurden, zollfrei eingeführt werden dürfen. Die
Fahrten finden ein- oder mehrmals täglich statt; in der Hauptsaison ist
der Verkehr verstärkt. Einige Reedereien bieten verbilligte Tages-
rückfahrkarten an. Manche Fahrtrouten unterliegen Änderungen.
Abfahrt im allgemeinen am Skandinavienkai in Travemünde (Bundes-
bahn oder LVG-Linienbus von Lübeck oder Travemünde direkt bis
Hst. Skandinavienkai).

1. GEDSER–TRAVEMÜNDE–RUTEN nach *Gedser* auf der däni-
schen Insel *Falster;* Überfahrt $3^{1}/_{2}$ St., 4–5 Abfahrten tgl. mit den
Fährschiffen "Travemünde" (10 000 BRT) und "Gedser" (5 300
BRT). Ausflugstickets (gültig 24 Stunden).
2. TT-SAGA-LINE nach *Trelleborg;* Überfahrt 7 Std., 1–3 Abfahrten tgl., darunter eine Tageskreuzfahrt, Abfahrt 8 Uhr, Rückkehr 22
Uhr mit Busanschluß von und nach Lübeck. Auf der Route verkehren

die Fährschiffe MS "Nils Holgerson" und MS "Peter Pan" mit je 12 600 BRT.

3. FINNLINES nach *Helsinki,* Abfahrt abends, Mitte Juni bis Mitte August dreimal wö. in 22 Std., sonst zweimal wö. mit längeren Fahrzeiten. Die als Eisbrecher gebaute "Finnjet" wird mit Gasturbinen betrieben, erreicht Geschwindigkeiten bis zu 56 km/h und ist mit 24 600 BRT die größte Ostseefähre. Im Winter muß sich die Finnjet ihren Weg durch das Packeis der Ostsee bahnen (Dauer 4−5 Tage hin u. zur.).

4. Die polnische Reederei POLISH BALTIC SHIPPING CO. befährt 3−4 mal wö. mit dem MS "Rogalin" (7 800 BRT) die Route Travemünde − Kopenhagen (9 Std.), Abfahrt 11 Uhr. Je einmal fährt das Schiff nach Swinemünde (über Kopenhagen), nach Danzig sowie im Sommer nach Rønne (Bornholm).

5. Das MS "Baltic Star" (2 855 BRT) der Reederei Seetouristik in Flensburg, fuhr als Lazarettschiff "Helgoland" vor Vietnam, jetzt im Sommer einmal wö. in $3^1/_2$ Std. nach Warnemünde (DDR). Abfahrt 9 Uhr vom Travemünder Hafen/Ostpreussenkai. In Warnemünde 6 Stunden Aufenthalt mit organisierten Ausflügen nach Rostock oder nach Bad Doberan-Heiligendamm. Rückkehr 22 Uhr. Ferner tgl. Hochseefahrten nach Rødby Havn./Dänemark.

6. Die Möglichkeit, auf einem Frachtschiff als Passagier mitzufahren, bietet die Lübecker REEDEREI POSEIDON SCHIFFAHRT OHG, Gr. Altefähr 20/22, Die Fahrten mit Ro-Ro-Schiffen führen nach *Helsinki* bzw. nach *Turku-Rauma* in Finnland und dauern hin und zurück 4−5 Tage. Abfahrt am Nordlandkai in Lübeck. Auskunft unter Tel. 7 19 61.

7. KURZFAHRTEN in See von rd. 1 Std. Dauer machen einige kleinere Schiffe vom Travemünder Hafen aus. Da sie dem Einkauf zollfreier Waren dienen, ist der Fahrpreis niedrig; doch darf hier nur die "Kleine Transitration" eingeführt werden.

REGISTER

Adolf II.
  von Holstein 14
Ägidienstraße 35
Alt-Lübeck 43
Altstadt 21
St. Annen-Kloster 37
Apengeter, Hans 26
Ausflüge 49
Auskunft 8

Barlach, Ernst 34
Behnhaus 32
Berg, Claus 14, 37
Besuchsordnung 10
Binnenhäfen 20
Blankensee 41
Boy Ed, Ida 14, 33
Breite Straße 27
Brodten 47
Brodtener Steilufer 47

B r ü c k e n :
  Burgtor- 31
  Holsten- 22
  Mühlen- 41
  Puppen- 21
  Wipper- 40
Bücher 11
Buddenbrookhaus 27
Burg 31
Bürgerhaus, Lübecker 19
Burgstraße, Gr. 30
Burgtor 30

Cafés 10
Camping 9, 44

Deepenmoor 42

D e n k m ä l e r :
  Bismarck 21
  Geibel 30
  Wilhelm I. 21
  Mann, Thomas 27
Dom 38
Drägerhaus 32
Dreyer, Benedikt 26, 37
Düren, Statius von 31, 37

Ehrenfriedhof 42
Eichholz 42
Eutin 49
Evers d.Ä., Tönnies 23
– *d.J., Tönnies* 23, 35

Fischereihäfen 20, 46
Flugplatz Blankensee 41
Flugverkehr 11, 41
Füchtingshof 33

Geibel, Emanuel 14, 30, 33
Geistiges Leben 13
St. Gertrud-Vorstadt 41
Geschichte 14
Glandorps Gang 33
– Hof 33
Glockengießergasse 33
Gothmund 42
Großkaufmanns-
  Viertel 27
Gudow 50
Haasen-Hof 33
Häfen 20
Handwerkerviertel 33
Hanse, die 15
Hauptbahnhof 8
Heiligengeist-
  Hospital 29
Heinrich der Löwe 14, 38
Herrenwyk 42
Holsteinstraße 22
Holstentor 21
Hotels 9

Illhorn-Stift 33
Industrie 10
Industrie- und
  Handelskammer 27
Israelsdorf 42

Jugendherberge 9
St. Jürgen-Vorstadt 41

Kaisertor 40
Kaufmannschaft, Haus
  der 27

K i r c h e n : 118
  Ägidien- 35
  St. Bonifaz- 41
  Dom 38
  St. Gertrud 42
  St. Jakobi 28
  St. Jürgen-Kapelle 41
  Katharinen- 33
  Marien- 22
  Paul Gerhard- 41
  St. Petri- 22
Kleverschußkreuz 42
Kniller, Gottfried 14, 38
Koberg 28
Königstraße 31
Konzerte 10
Krähenteich 40
Kucknitz 42
Krummesse 41
Kulturelles Leben 13

Landesversich.-
  Anstalt 41
Lauerholz 42
Lillie, Christian 41, 50
Lindenplatz 21
St. Lorenz-Vorstadt 41

Mann, Thoms 14, 33
Marcks, Gerhard 34
Marli 42
Marzipan 13
Mengstraße 27
Mölln 50
Motorboote 8
Mühlenteich 40
Mühlentorplatz 41
Munch, Edvard 32

M u s e e n :
  St. Annen-Mus. 35
  Behnhaus 32
  Drägerhaus 32
  Holstentor 21
  Münzsammlung 40
  Naturhist. Museum 40
  Puppenmuseum 22

Stadtarchiv 40
Überseeausstellung 22

Notke, Bernt 27, 34 37,39

Omnibusse 8
Overbeck, Friedrich 14, 26, 32
Overbeck-Gesellschaft 33

Passat, die 47
Petersgrube, Gr. 40
Pötenitzer Wiek, die 47
Priwall, Halbinsel 45

Quellinus, Thomas 27, 38, 39

Rathaus 22
Ratzeburg 50
Restaurants 9
Rhode, H. 14, 37
Rundflüge 11, 41

Salzspeicher 22
Schabbelhaus 27
Schifferges., Haus der 28
Schlutup 42
Schwartau, Bad 43
Seehäfen 20
Sextra, H. 28
Sielbek 49
Stadion Buniamshof 40
Stadtarchiv 40
Stadtbefestigung 19, 30, 40
Stadtbibliothek 35
Stadtbild 12
Stadtpark 41

Theater 10
Tierpark 42
Timmendorfer Strand 49
Trave, die 12
Travemünde 44

Uklaisee 49
Unterhaltung 10

Verkehrsmittel 8

Wahmstraße 35
Wakenitz, die 12, 42
Wallanlagen 19, 40
Wirtschaft 12

Zeltplätze 9
Zeughaus 38